Schriften des

NIKOLAUS VON KUES

in deutscher Übersetzung

Im Auftrag der
Heidelberger Akademie der Wissenschaften
herausgegeben von

ERNST HOFFMANN † · PAUL WILPERT †
und KARL BORMANN

Heft 1
Lateinisch-deutsche Parallelausgabe

Beatus vir qui in sapientia morabitur.
Cibabit illum pane intellectus,
et aqua sapientiae potabit illum;

Sirach 14,22. 15.3

Wohl dem, der stets mit der Weisheit umgeht.
Sie wird ihn speisen mit dem Brot des Verstands
und wird ihn tränken mit Wasser der Weisheit.

Corvinus-Graduale, Initialminiatur zum Introitus
am Osterdienstag. Siehe Einleitung S. XIII f.

NICOLAI DE CUSA

Idiota de sapientia

IN AEDIBUS FELICIS MEINER
HAMBURGI

NIKOLAUS VON KUES

Der Laie über die Weisheit

Auf der Grundlage des Textes
der kritischen Ausgabe neu übersetzt und
mit Einleitung und Anmerkungen
herausgegeben von
RENATE STEIGER

Lateinisch – deutsch

FELIX MEINER VERLAG
HAMBURG

PHILOSOPHISCHE BIBLIOTHEK BAND 411

Der lateinische Text ist der kritischen Edition der Heidelberger Ausgabe entnommen: Nicolai de Cusa opera omnia, vol. V: Idiota de sapientia. Idiota de mente, editionem post Ludovicum Baur alteram curavit Renata Steiger, duas appendices adiecit Raymundus Klibansky. De staticis experimentis ex editione Ludovici Baur, brevem dissertationem addiderunt Carolus Bormann et Iohannes Gerhardus Senger, Hamburgi in aedibus Felicis Meiner MCMLXXXIII, p. 3–80.

Eine nur deutsche Übersetzung dieses Textes von Elisabeth Bohnenstädt erschien 1936 als PhB-Band 216; die fünfte Auflage 1978.

CIP-Titelaufnahme der Deutschen Bibliothek

Nicolaus <de Cusa>:
Schriften des Nikolaus von Kues in deutscher Übersetzung / im Auftr. d. Heidelberger Akad. d. Wiss. hrsg. von Ernst Hoffmann ... – Lat.-dt. Parallelausg. – Hamburg : Meiner.
(Philosophische Bibliothek ; ...)
NE: Hoffmann, Ernst [Hrsg.]; Nicolaus <de Cusa>: [Sammlung]
Lat.-dt. Parallelausg.
H. 1. Nicolaus <de Cusa>: Der Laie über die Weisheit. – 1988

Nicolaus <de Cusa>:
Der Laie über die Weisheit : lat.-dt. / Nikolaus von Kues. Auf d. Grundlage d. Textes d. krit. Ausg. neu übers. u. mit Einl. u. Anm. hrsg. von Renate Steiger. – Hamburg : Meiner, 1988
(Schriften des Nikolaus von Kues ; H. 1)
(Philosophische Bibliothek ; Bd. 411)
Einheitssacht.: Idiota de sapientia
Parallelsacht.: Nicolai de Cusa Idiota de sapientia
ISBN 3-7873-0765-6
NE: Steiger, Renate [Hrsg.] ; 2. GT

INHALT

Einleitung. Von Renate Steiger VII
1. Die Gestalt des idiota X
2. Die Form des Dialogs XIX
3. Die Sprache der Mystik XXX
4. Idiota de sapienta eine »mystische« Schrift? XXXIV
5. Zur Ausgabe und zur Übersetzung XXXVII

NIKOLAUS VON KUES
Der Laie über die Weisheit

Text und Übersetzung »Idiota de sapientia«
Liber primus – Erstes Buch 2/3
Liber secundus – Zweites Buch 46/47

Anmerkungen der Herausgeberin 81
Verzeichnis der Siglen 135
Quellennachweis 137
Literaturnachweis 141
Verzeichnis wichtiger Begriffe 143
Register zu Einleitung und Anmerkungen . 157

1. Zitierte Handschriften 157
2. Zitierte Bibelstellen 158
3. Autoren, Namen und Titel 159
4. Sachregister 163

EINLEITUNG

Nikolaus von Kues hat die beiden Bücher *Idiota de sapienta* im Sommer 1450 geschrieben. Am 11. Januar dieses Jahres war er von Papst Nikolaus V. zum Kardinal erhoben, am 23. März zum Bischof von Brixen ernannt und im Monat darauf zum Bischof geweiht worden. Herzog Sigmund von Österreich widersetzt sich dieser Übertragung. Erste Schreiben in der Sache werden gewechselt[1]. Der Konflikt, der die kommenden Jahre überschatten wird, deutet sich an.

In Rom wütet die Pest. Der Papst hat die Stadt am 15. Juni verlassen und zieht von Kastell zu Kastell über Foligno, Assisi und Gualdo nach Fabriano[2]. Nicolaus Cusanus hat sich von der Kurie entfernt. In Rieti beginnt und vollendet er am 15. Juli in einem Zuge Buch I von *Idiota de sapientia*[3]. Buch II verfaßt er am 7. und 8. August in Fabriano[4], wohin er Papst und Kurie inzwischen gefolgt ist und wo er sich bis in den September hinein aufhalten wird[5].

Ein Autograph der Schrift ist nicht erhalten, doch ist seine Überlieferungsgeschichte alsbald greifbar:

[1] Vgl. AC I/2, hrsg. von E. Meuthen, Hamburg 1983, Nr. 902–904; 906; 907.

[2] AC I 909 A.3; 914 A.1.

[3] Siehe h V n. 27.

[4] Siehe h V n. 47.

[5] Am 23. August 1450 beendet er im Camaldulenserkloster Val di Castro bei Fabriano den *Idiota de mente* (s. h V n. 160), am 9. oder 13. oder 14. September in Fabriano den *Idiota de staticis experimentis* (s. h V n. 195).

die ältesten Textzeugen stammen von 1451 und 1452[6]. Am 24. Dezember 1450 war Nikolaus von Kues zum Apostolischen Legaten pro tota Alemannia ernannt worden. Er sollte die Verlängerung des Jubiläumsablasses für alle, die im Jubeljahr 1450 am Pilgerzug nach Rom verhindert gewesen waren, in den Landen deutscher Zunge verkünden[7]. Nikolaus von Kues hat seine Legation als Reform- und Seelsorgeaufgabe verstanden. In seinem Gepäck führte er auch ein Exemplar des *Idiota de sapientia* mit, das er bei seinem Aufenthalt in Magdeburg von Pfingstsonntag, 13. Juni, bis zum 28. Juni 1451 an Thomas Hirschhorn (latinisiert: de Cornucervino), den berühmten Leibarzt des Erzbischofs von Magdeburg und tätigen Förderer der Klosterreform[8], zum Abschreiben verliehen hat[9]. Dies war, soweit wir sehen, der Anfang der Überlieferung des *Idiota de sapientia*. Die von Thomas Hirschhorn veranlaßte oder selbst angefertigte Abschrift von 1451 (die selbst verschollen ist) wurde zur Matrix einer Gruppe von Handschriften, die eine Sonderüberlieferung des *Idiota de sapientia* bildet[10] und

[6] Einzelheiten s. in meiner Praefatio zu h V, S. IX–XLIII.

[7] Vgl. E. Meuthen, *Nikolaus von Kues 1401–1464. Skizze einer Biographie,* Münster [6]1985, S. 83–90; ferner J. Koch, *Der deutsche Kardinal in deutschen Landen. Die Legationsreise des Nikolaus von Kues (1451/52),* Kleine Schriften der Cusanus-Gesellschaft 5, Trier 1964.

[8] Vgl. H. G. Senger, *Thomas Hirschhorn, ein Magdeburger Gelehrter des 15. Jahrhunderts,* Historisches Jahrbuch der Görres-Gesellschaft 100 (1980), S. 217–239.

[9] Vgl. die subscriptio des Thomas de Cornucervino im cod. lat. 1918/1466 der Stadtbibliothek Trier, mitgeteilt in h V, Praefatio, S. XXVII.

[10] Zu den typischen Textvarianten und anderen Merkmalen der Filiation s. h V.

in besonderer Weise auf die Eigenart der Schrift aufmerksam macht. Die Handschriften dieses Stammes überliefern von den drei Idiota-Schriften nur *De sapientia,* einzig der schon genannte Trierer Kodex (geschrieben ist er in Magdeburg, sein letzter, später angebundener Teil in Halle) enthält von Cusanus außerdem noch *De quaerendo deum* und *De filiatione dei,* inhaltlich verwandte Schriften, alle drei Texte von der Hand des Thomas Hirschhorn.

Thomas Hirschhorn arbeitete in Magdeburg in Sachen Klosterreform zusammen mit dem Domkanonikus und Doktor der Theologie Heinrich Toke und dem Praemonstratenserpräpositus an Liebfrauen Eberhard Woltmann. Alle drei Männer standen in engem Kontakt zu dem Augustinerchorherren Johannes Busch und damit zum Reformprogramm der *Windesheimer Kongregation.* Johannes Busch wurde durch Nikolaus von Kues auf seiner Legationsreise 1451 zum Apostolischen Visitator der Augustiner in Sachsen und Thüringen bestellt[11]. In diesem Kontext persönlicher Beziehungen und gemeinsamer Reformbestrebungen ist das Interesse des Thomas Hirschhorn speziell an *Idiota de sapientia* zu sehen[12].

Die Schrift ist dann weiter tradiert worden in regu-

[11] Vgl. Johannes Busch, *Liber de reformatione monasteriorum,* Cap. XX, in: K. Grube, Des Augustinerpropstes Ioannes Busch Chronicon Windeshemense und Liber de reformatione monasteriorum, Halle 1886, S. 759–763.

[12] Denn daß der Kardinal auch die beiden anderen Idiota-Schriften im Reisegepäck hatte, zeigt eine andere heute der Stadtbibliothek Trier gehörende Handschrift, cod. lat. 1926/1470, die Ende 1451, als Nikolaus auf seiner Visitationsreise in Trier weilte, geschrieben worden ist und *De mente* und *De staticis experimentis*

lierten Chorherrenklöstern[13] bzw. in Verbindung zu ihnen[14] und in Kartausen[15].

Das Interesse der Tradenten, die die Schrift einzeln überliefern, deutet, wie ich sagte, auf die Eigenart des *Idiota de sapientia.* Worin besteht sie?

1. *Die Gestalt des idiota*

Die beiden Bücher *Idiota de sapientia* sind Dialoge, Unterredungen eines *idiota* mit einem *orator.* In n. 1 werden die Unterredner eingeführt[16].

Die leitenden Begriffe dieses Abschnitts sind *Armut* und *Demut.* Sie werden von ihrem jeweiligen Gegenbild abgehoben: Ein armer ungebildeter Mann spricht einen wohlhabenden Redner an und stellt das wahre Wissen der »Weisheit dieser Welt« (1. *Kor.* 3,19) entgegen; jenes führt zur Demut, diese »bläht

(nicht aber *De sapientia*) enthält. – Zur Verbindung zu Toke und Woltmann vgl. cod. Wolfenbüttel, Herzog August Bibliothek 680 (630^{b}Helmst.), dazu h V S. XIII–XX.

[13] Cod. London, Brit. Mus. addit. 18 007, geschrieben 1465 von Hermann von Nienburg im Augustiner Chorherrenkloster St. Maynulf in Böddeken, Diözese Paderborn, das seit 1430 der *Windesheimer Kongregation* angeschlossen war.

[14] Cod. Berlin (Deutsche Staatsbibliothek) theol. lat. fol. 194, geschrieben 1471 von Hermann Steman, Augustiner Eremit in Lippstadt; Verbindung nach Böddeken wahrscheinlich, s. Praefatio h V, S. XII.

[15] Cod. Augsburg, Universitätsbibliothek, Öttingen-Wallerstein II Lat. 1 (4°) 33, geschrieben 1468 in der Basler Kartause; s. auch cod. Trier, Bibliothek des Priesterseminars 109 (nicht vom Magdeburger Exemplar, aber von derselben Vorlage wie dieses abstammend), geschrieben 1476 von Nikolaus de Saraponte OSB nach einem Exemplar in der Amsterdamer Kartause.

[16] Siehe u. S. 2.

auf« (1. *Kor.* 8,1). Der Angesprochene steuert ein weiteres Gegensatzpaar bei: stellt dem Studium der Wissenschaften die Ignoranz entgegen, das Nichtwissen. Damit ist das Problem gestellt, die Konfrontation gegeben, die Cusanus in n. 2–4 weiter exponiert.

Pauper idiota ist das Stichwort, das eine doppelte Absetzbewegung andeutet. *Idiotae et illitterati,* auch *rustici* oder *rusticani* im Gegensatz zu den *docti* oder *sapientes,* wurden von den kirchlichen Schriftstellern die Anhänger der verschiedenen religiösen Bewegungen des 12. Jahrhunderts genannt, die den Gedanken der christlichen Armut und der apostolischen Nachfolge wiedererwecken wollten. Durch das Vorbild ihrer Lebensführung, freiwillige Armut und Predigt des Evangeliums in rastloser Wanderschaft wollten sie das christliche Leben erneuern. Gegenüber der hierarchischen Kirche beanspruchten sie für sich die apostolische Sukzession. Darüber kam es bei den Katharern und Waldensern zum Bruch mit der Kirche. Herbert Grundmann hat gezeigt, daß die Bezeichnung *idiotae, illitterati, rustici* nichts über die soziale Herkunft der Ketzer besagt; sie sollte brandmarken, daß »Leute ohne gelehrte, literarische Bildung sich anmaßten, in Fragen des Glaubens und der Kirche besser Bescheid zu wissen als der theologisch geschulte Klerus«[17]. So erging es ihnen wie in der *Apostelgeschichte* (4,13) den Aposteln Petrus und Johannes, die von den Hohenpriestern und Schriftgelehrten ἄνθρωποι ἀγράμματοι καὶ ἰδιῶται, *homines illitterati* (Itala; *sine litte-*

[17] H. Grundmann, *Religiöse Bewegungen im Mittelalter,* Darmstadt ²1970, S. 30.

ris Vulgata) *et idiotae* genannt wurden. – Der Spottname wurde zum Programm. Franz von Assisi und seine Gefährten bezeichneten sich selbst als *idiotae*[18]. Die Armutsbewegung fand unter *Innozenz III.* mit neuen Ordensgründungen, den Bettelorden, einen Platz innerhalb der Kirche. Ihr kritischer Impuls hat sich erhalten und findet sich wieder in den Bestrebungen zur Klosterreform, wie sie von der *Windesheimer Kongregation* ausgingen, bis in die Frömmigkeitsbewegung der *Devotio moderna,* aus deren Umfeld Cusanus ihn wohl aufgenommen hat.

Als Verzicht auf die Güter und Ehren der Welt in der »Nachfolge Christi« (so der Titel des Werkes, das ihr Programm verbreitet hat[19]) gehören *paupertas* (freiwillige Armut) und *humilitas* (Demut, Niedrigkeit) zusammen. Der religiös-kritischen Idealgestalt des *pauper idiota* sind im Lauf des 14. Jahrhunderts mit dem wachsenden Selbstbewußtsein des Stadtbürgertums neue Züge zugewachsen. So ist das Pathos dieses Begriffs bei Cusanus facettenreich. Es ist ein *Pathos der Unmittelbarkeit:* der Unmittelbarkeit der Erfahrung gegenüber einem durch Bücherstudium und Schulwissen vermittelten Zugang zur Wirklichkeit

[18] Franz von Assisi, *Testament* c. 4.

[19] *De imitatione Christi,* bekannt spätestens seit 1427. Die Verfasserfrage dieses nach der Bibel meistgelesenen Buches der Weltliteratur ist bis heute nicht endgültig geklärt. Sprache und Spiritualität weisen eindeutig auf die *Devotio moderna.* Thomas Hemerken von Kempen, Augustinerchorherr im Windesheimer Reformkloster St. Agnetenberg bei Zwolle, hat letzte Hand an das Werk gelegt. Lit.: E. Iserloh, *Thomas von Kempen und die Devotio Moderna,* Bonn 1976.

(festgemacht an der Metaphorik der zwei Bücher[20]); ein Pathos der Unmittelbarkeit auch darin, daß nicht mehr nur die Kleriker und die Gelehrten an der Weisheit teilhaben[21]. Wie dies im Gefühl der Zeit lag, illustriert eine Initialminiatur im *Corvinus-Graduale*, einer der schönsten und bedeutendsten Handschriften des 15. Jahrhunderts aus dem Besitz des ungarischen Königs Matthias Corvinus (1458–1490)[22]. Das Bild zum Introitus am Osterdienstag, »Aqua sapientiae potavit eos« (*Sir.* 15,3 f.) zeigt eine farbenprächtige Personengruppe um eine Quelle versammelt. Über der Landschaft erscheint Gottvater, von Engeln um-

20 Siehe u. n. 4,8–10. Dazu H. Blumenberg, *Die Lesbarkeit der Welt*, Frankfurt a. M. ^{2}1983. Nach Blumenberg enthüllt die Metapher vom Buch der Natur »ihren rhetorischen Gehalt erst als Paradox in der Stoßrichtung gegen die Scholastik«, die Bücherwelt der Kleriker (S. 58). Für den Cusaner sei – vorbereitet durch Raymund von Sabunde, von dessen *Theologia naturalis* Nikolaus sich 1450 eine Abschrift verschafft hat (cod. Cus. 196) – der Laie eine Figur der Unmittelbarkeit (S. 60). »Der Laie ist der Sprecher der Weisheit, die nicht nur das Pathos der größeren Tiefe gegenüber der Wissenschaft vom scholastischen Typus angenommen hat, sondern ... sich einen skeptischen, sogar polemischen Ton gegenüber allem zulegt, was Wissenschaft heißen will. Das hat immer zwei Seiten: Es moniert die Erfahrungsdistanz der scholastischen Begriffsspekulation, und es rekurriert auf den theologischen Hintergrund in den Formen einer schlicht gewordenen Mystik, für deren Typus die *Devotio moderna* steht.« (S. 63) So wird die Unmittelbarkeit der Erfahrung von Wirklichkeit vom bloßen Lesen oder Hörensagen über sie abgesetzt (s. u. n. 19).

21 Trotz des präzis angegebenen Ortes, an dem Cusanus die Unterredung stattfinden läßt, sind hinter den Unterrednern keine historischen Persönlichkeiten zu suchen, vielmehr ist der *idiota* eine stehende Figur, ein Typus, dem Nikolaus den eigentlichen Inhalt, die Gedankenführung des Gesprächs in den Mund legt, während der *orator* – in *De mente* kommt noch der Philosoph dazu – den Gegentypus von Wissenschafts- und Lebensstil repräsentiert.

22 *A Mátyás-Graduale*, Magyar Helicon/Corvina, Budapest 1980.

ringt. Sein Thron steht in einem Kranz von Wolken, aus denen in dicken Tropfen Regen fällt, der die Quelle der Weisheit speist. Neben der Quelle stehen auf der einen Seite Papst, Kardinal, König und ein junger Adliger (die Vertreter der Feudalgesellschaft), ihnen gegenüber Gelehrtengestalten in orientalischen Gewändern (repräsentieren sie die östliche Philosophie?); sie alle halten kostbare Gefäße mit Wasser in Händen. Dazwischen – und dies ist das Erwähnenswerte an dem Bild – zwei Männer aus dem Volk: ein Bauer schöpft bäuchlings aus der Quelle, ein Mann in Drillich und Bundschuh hebt seinen schlichten Krug an den Mund. Laien, ungebildete Leute direkt an der Quelle. – Die gleiche Tendenz verrät das *Corvinus-Graduale* auch in anderen Bildern, z. B. in der Miniatur zum Sonntag Cantate (Introitus: *Ps* 97,1 f.). Hier sehen wir im Chorraum einer gotischen Kathedrale eine Sängerschar um ein Notenpult versammelt. Die Sänger sind – wie an der buntgewürfelten Kleidung abzulesen – Laien. Das 15. Jahrhundert ist das Jahrhundert der großen Laienbewegung der *Brüder vom gemeinsamen Leben,* des nichtmönchischen Zweigs der *Devotio moderna,* jener von Geert Groote erweckten neuen Frömmigkeit, die sich als die wirksamste Reformbewegung vor Luther von den Niederlanden her über Deutschland ausgebreitet hat.

In den zwei anderen Idiota-Schriften, *Idiota de mente* und *Idiota de staticis experimentis,* wird deutlich werden, daß der *idiota* für Cusanus noch auf zwei weitere Weisen Figur der Unmittelbarkeit ist: In *De mente* ist er Löffelschnitzer, ein Handwerker, der unmittelbar umgeht mit der seiner Kunst vorgegebenen

Materie. Zwar wird ihm der Handwerker zum Gleichnis des göttlichen Artifex dienen, der seine Artefakte zuvor im Geist konzipiert hat; daß der Laie für Cusanus aber ursprünglich und in erster Linie eine *kritische* Figur ist, der *rusticus,* der in apostolischer Armut von seiner Hände Arbeit lebt, verrät sich in *De mente* 1 n. 54: Der Redner steigt mit dem Philosophen, den er zu dem Löffelschnitzer führt, hinab »in subterraneum quendam locellum«. Die unterirdische Behausung, der Aufenthalt »in cellariis«, »in subterraneis domibus« und »in speluncis terrae« ist ein Topos in den Berichten über die predigenden idiotae des 12. Jahrhunderts, die sich meist als Weber ihren Lebensunterhalt verdienten[23].

In *De staticis experimentis* schließlich ist der Laie in hochmoderner, vorausweisender Art Exponent einer neuen Unmittelbarkeit: der Unmittelbarkeit des experimentellen Zugriffs auf die Natur und der Erarbeitung von Methoden des Messens der nach Maß, Zahl und Gewicht erschaffenen Welt der Erscheinungen[24].

Der *idiota* ist also für Cusanus eine *Figur der Unmittelbarkeit.* Ehe ich anzudeuten versuche, was dies in bezug auf *De sapientia* meint, sei zur Geschichte des Wortes und seiner Konnotationen festgehalten:

a) *Litteratus* heißt im Mittelalter zunächst nichts anderes als buchstabenkundig, schreib- und lesefähig. Da die Schriftsprache des Abendlandes bis ins

[23] Belege bei Grundmann (s. Anm. 17), S. 31 ff.

[24] Zum Komplex der Entwicklung der Naturwissenschaften vgl. A. C. Crombie, *Von Augustinus bis Galilei. Die Emanzipation der Naturwissenschaft,* Köln und Berlin 1964.

12. Jahrhundert hinein das Lateinische war, bezeichnete *littera* (oder *grammatica*) zugleich das Latein. Schreib- bzw. lateinkundig waren nur Kleriker und Mönche. So kam es, daß *illitteratus* bzw. *idiota* gleichbedeutend wurde mit dem Laien im kirchenrechtlichen Sinn[25].

b) *Homines idiotae* sind seit Augustin – ohne Geringschätzung – Menschen, die nur ihre Muttersprache reden und verstehen[26].

c) Gregor I. befand in bezug auf Bilder in den Kirchen: quod legentibus scriptura, hoc idiotis praestat pictura cernentibus. Was dem Lesenden das Buch, das bietet den Nicht-Lesern das Bild[27]. In Zusammenhang mit diesem oft wiederholten Wort ist auch die zentrale Bedeutung des Bildes für die *Devotio moderna* zu sehen. Im Mittelpunkt ihrer Frömmigkeitsübung

[25] Vgl. H. Grundmann, *Litteratus – illitteratus. Der Wandel einer Bildungsnorm vom Altertum zum Mittelalter,* in: Archiv für Kulturgeschichte 40 (1958), S. 1–65; hier: 3–7.

[26] Belege bei Grundmann, a.a.O., S. 6. Vgl. *Thesaurus linguae latinae* VII, Leipzig 1934, Sp. 221 f. Die Bedeutung hält sich. Noch Martin Moller, der große Vermittler mittelalterlicher Tradition an die lutherische Kirche, wendet sich an die »einfältigen Laien«, »so das Latein nicht verstehen« (*Soliloquia de passione Iesu Christi,* Görlitz 1587, Vorrede).

[27] Gregor I., *Registrum* XI, 10; zit. bei Grundmann, a.a.O., S. 7. Auch dieses Wort lebt noch in der Literatur des 17. Jahrhunderts. Ich fand es in dem berühmten Emblembuch von Johann Mannich, *Sacra Emblemata,* Nürnberg 1624. Dort heißt es in der Widmungsschrift: Was den Lesenden thut die Schrifft/das thut den Idioten das Gemäld/dann darinnen sehen die vnwissenden/wie und was sie folgen sollen/vnd lesen darinnen/die sonsten nimmermehr lesen können.– Noch bis ins 19. Jahrhundert hinein hat die Bezeichnung »Idiot« keinen verächtlichen Klang sondern bezeichnet den Ungelehrten/Laien im Gegensatz zum Gelehrten und Fachmann; s. H. Schulz, *Deutsches Fremdwörterbuch,* Bd. 1, Straßburg 1913 zum Stichwort.

stand die Passionsmeditation. Sie hat neben dem literarischen Genus der »Passieboeken« in der Bildenden Kunst den Typus des »erzählenden« Passionsbildes hervorgebracht[28]. Des Nikolaus von Kues *libellus de icona* oder *De visione dei* ist in seinem Anheben bei der Erfahrung mit einem Bild und dessen unmittelbarer Evidenz in dieser Tradition der *Devotio moderna* zu sehen. (Wir stoßen hier auf eine erste Gemeinsamkeit unserer Schrift mit *De visione dei,* die sich inhaltlich noch füllen wird.)

d) Da die Begriffe *litteratus* und *illitteratus* im Mittelalter nicht verschiedene Bildungsgrade, sondern verschiedene Bildungs*weisen* unterscheiden[29], ist früh ein Bewußtsein von der Vermitteltheit literarischer Bildung zu beobachten und davon, was nach der Verkündigung Jesu und der Apostel (*Mt.* 5,3; 11,25; 1. *Kor.* 1,18–21; 8,1–3) als Maßstab für das wahre Wissen zu gelten habe[30]. Auch dem *illitteratus* kann Gott die vollkommene Weisheit geben[31].

e) Mit dem Aufkommen der *Deutschen Mystik* begegnet uns ein Schrifttum und eine Leserschaft, auf die die alten Unterscheidungen von litterat und illitterat nicht mehr anwendbar sind. Eine Umwertung

[28] Dazu J. H. Marrow, *Passion Iconography in Northern European Art of the Late Middle Ages and Early Renaissance. A Study of the Transformation of Sacred Metaphor into Descriptive Narrative,* Ars Neerlandica, Volume I, 1979.

[29] H. Grundmann, a.a.O., S. 13.

[30] Ich verweise noch einmal auf die Metapher vom »Buch der Natur« (dazu unten Anm. zu n. 4,12–15) und auf das Wort von Augustin, *Enarrationes in Psalmos* 45 n. 7 (CCSL XXXVIII, S. 522,5–7): »liber tibi sit orbis terrarum, ... in toto mundo legat et idiota«.

[31] Vgl. Cassiodor, *Institutiones divinarum litterarum,* c. 28, zit. bei Grundmann, a.a.O., S. 24.

hat stattgefunden: das *volgare,* die Volkssprache wird schrift- und literaturfähig, Laien werden lesefähig und schreiben selbst, in ihrer Muttersprache[32]. Es entsteht das Phänomen einer Illitteraten-Literatur[33].

f) Herbert Grundmann stellt am Ende seiner Studie zur Wortgeschichte von *litteratus – illitteratus* in bezug auf Nikolaus von Kues fest: »Der *idiota,* der nichts vom Bücherwissen und von Autoritäten hält, kommt durch fragendes Selbstdenken der Wahrheit näher als die *litterati philosophi;* ... er ist zugleich demütiger als der Gelehrtenstolz, weil er sich sokratisch seines Nichtwissens bewußt bleibt.«[34] Grundmann nennt dies eine »philosophische Umwertung der Begriffe«, die weder als Ergebnis des langen Bedeutungswandels ableitbar sei noch den weiteren Sprachgebrauch bestimmt habe. Was ist mit der »philosophischen Umwertung« gemeint und ist dem zuzustimmen?

[32] Hildegard von Bingen und Mechthild von Magdeburg waren nach zeitgenössischen Aussagen beide *laicae et illitteratae;* Belege bei Grundmann, a.a.O., S. 58 f.

[33] In Konsequenz der reformatorischen Lehre von der Gegenwart Gottes im Wort der Heiligen Schrift wird auf dem Boden eines Erziehungssystems, das in der Elementarschule an Hand von Bibel (in der Muttersprache), Gesangbuch und Katechismus neben dem Lesen und Schreiben auch Grundkenntnisse über den christlichen Glauben breiten Volksschichten vermittelt, im protestantischen Bereich diese Art Literatur weiter gepflegt. Dies weist eine Untersuchung wie diese aus: E. Weyrauch, *Die Illiteraten und ihre Literatur,* in: Literatur und Volk im 17. Jahrhundert. Probleme populärer Kultur in Deutschland, Wolfenbütteler Arbeiten zur Barockforschung Bd. 13 Teil II, S. 465–474. Eine Bibliothek wie die von J. S. Bach mit ihrem Bestand an vorwiegend deutschsprachigen Erbauungsbüchern gehört zweifellos in die Wirkungsgeschichte des *idiota,* wie ihn die *Devotio moderna* als kritische Idealfigur aufgebaut und auch Nikolaus von Kues ihn verstanden hat.

[34] Grundmann, a.a.O., S. 63.

2. *Die Form des Dialogs*

Die Dialogform einiger Werke des Cusanus wird allgemein mit den platonischen Dialogen in Verbindung gebracht[35]. Mit wachsender Platon-Kenntnis habe sich der Gebrauch des Dialogischen bei Cusanus verstärkt[36].

Sicher ist, daß Nikolaus in cod. Cus. 177 eine Reihe platonischer Dialoge besessen hat. Die Lektüre besonders des *Phaidros* ist durch zahlreiche Randbemerkungen von seiner Hand bezeugt. Formal bot sich der Dialog an, wenn er entgegengesetzte Positionen konfrontieren oder seine Gedanken gesprächsweise allmählich entfalten wollte. Näherliegende Vorbilder wären die in der Scholastik gebräuchlichen Dialoge zwischen Lehrer und Schüler. Zweierlei am *Idiota de sapientia* gemahnt allerdings an Platon: erstens die sokratische Weise, wie der *idiota* seinen Gesprächspartner »annimmt« und dieser auf das gestellte Problem eingeht; zweitens dieses: So rhetorisch entsagungsvoll wie etwa Hans Blumenberg[37] vorgibt, ist der *idiota* gar nicht. Notabene, er spricht Latein! (Und die Sprache des ganzen Dialogs ist mit all ihren Implikationen höchst kunstvoll und durchdacht.) So ist der *idiota*, der als kritische Idealgestalt der neuen Frömmigkeit »beim Wort genommen« sich der Volksspra-

[35] Nikolaus von Cues, *Die Kunst der Vermutung. Auswahl aus den Schriften*, besorgt und eingeleitet von H. Blumenberg, Sammlung Dieterich Bd. 128, Bremen 1957, S. 231.

[36] Zuletzt P. Moffitt Watts, *Nicolaus Cusanus. A fifteenth-century Vision of Man*, Studies in the History of Christian Thought vol. XXX, Leiden 1982, S. 117.

[37] Blumenberg, a.a.O., S. 232.

che bedienen müßte, für Cusanus bereits eine literarisch-rhetorische Figur. Er soll zum ursprünglichen, zum Selbst-Denken aufrufen statt den Autoritäten nachzutreten. Das ist das platonische Element des cusanischen *idiota.*

Ich muß im Blick auf die Sprache besonders von Buch I des *Idiota de sapientia* nun aber noch auf eine andere Tradition aufmerksam machen, in der das Werk steht und die bisher von der Forschung ganz außer Acht gelassen wurde: die Tradition der Mystik, die sich ebenfalls mit Vorliebe des Dialogs bedient hat. Heinrich Seuses *Büchlein der Ewigen Weisheit*[38], das Cusanus in cod. Cus. 115 besaß, ist ein Gespräch zwischen dem Diener, Seuse selbst, und der ewigen Weisheit, Christus. Dessen spätere lateinische Fassung, das *Horologium sapientiae*[39] (das in seiner Verbreitung nur von der *Imitatio Christi* übertroffen wurde), lag Nikolaus in cod. Cus. 51 vor. In der Dialogform dieses Werkes ist das Verhältnis der *anima fidelis,* der gläubigen Seele, zu Christus, dem Bräutigam abgebildet[40].

Hier ist hinzuweisen auf das Hauptwerk Bernhards von Clairvaux, seinen Predigtkommentar über das Hohelied[41], in dem er das Canticum auf Christus und

[38] Heinrich Seuse, *Büchlein der Ewigen Weisheit,* in: Heinrich Seuse, Deutsche Schriften, hrsg. K. Bihlmeyer, Stuttgart 1907, S. 196–325.

[39] Heinrich Seuse, *Horologium sapientiae,* ed. P. Künzle, Spicilegium Friburgense 23, Freiburg/Schweiz 1977.

[40] Vgl. K. Bihlmeyer, a.a.O., S. 104*.

[41] Bernhard von Clairvaux, *Sermones super Cantica Canticorum,* S. Bernardi Opera Vol I und II, recc. J. Leclercq, C. H. Talbot, H. M. Rochais, Rom 1957 und 1958.

die liebende Seele gedeutet hat. Die Brautmystik, der Hauptzweig der sog. affektischen Mystik, nahm hier ihren Ausgang. Sie fand breiten literarischen Niederschlag in dialogischen Gedichten[42].

Zweitens ist in den literarischen Kontext des *Idiota de sapientia* aufzunehmen die Lebensbeschreibung Johannes Taulers, in der berichtet wird, wie ein schlichter Laie den gelehrten Doktor zur Erleuchtung und Wiedergeburt geführt habe[43]. Auch sie hat die Form eines Gesprächs, kleidet sich in einen »Dialog zwischen dem Doctor und dem Mann oder Layen«[44]. Dieser Laie, »ein gottseliger Mann« (S. 2), sagt dem »grossen Doctor der Hl.Schrifft« (S. 12), der »ziemlich alt/und 50.Jährig worden« (S. 13) ist (andere Ausgaben haben: 40.Jährig): »in dem jetzigen Leben/darinnen ihr noch seyd/habt ihr noch kein Licht/sondern lebt in der Finsterniß/darinnen ihr den Buchstaben wohl möget erkennen/aber die Süssigkeit deß H.Geistes habt

[42] Vgl. W. Wackernagel, *Geschichte der deutschen Litteratur*, 4. Teil 1. Band, Basel ^{2}1879, § 85, S. 391. Die Gattung wirkt fort bis in die Dialogkantaten Johann Sebastian Bachs.

[43] Sie ist allen Predigtausgaben beigefügt. Ich zitiere nach der Ausgabe *Lebens-Beschreibung Des berühmten und hoch-erleuchten DOCTORIS JOH. TAULERI, Worinnen gar viel gute Lehren und Predigen begriffen seynd*, Frankfurt a. M. 1692 (32 Seiten). Lit.: H. S. Denifle, *Taulers Bekehrung*, Straßburg 1879; weiteres bei Wackernagel (s. vorige Anmerkung) § 90, S. 427–429. Der geheimnisvolle *Gottesfreund aus dem Oberland*, wie der Laie sich nennt, wurde von Denifle als großangelegte Fälschung erwiesen; s. auch J. Quint, Art. »Mystik«, in: Reallexikon der deutschen Literaturgeschichte, hrsg. v. P. Merker und W. Stammler, 4. Bd. Nachträge, Berlin 1931, S. 65–88; hier S. 84.

[44] Zu seiner Topik gehört, daß – wie in unserem Cusanus-Text –, der Laie das Gespräch beginnt und in seinem Verlauf vom Doktor befragt und sein Führer wird.

ihr noch nicht geschmäckt.« (S. 7)[45] Was der Laie dem Doktor am Ende inhaltlich vermittelt, ist die Quintessenz einer schlichten Nachfolgefrömmigkeit. Spekulatives Interesse liegt dem Erzähler dieser Bekehrungsgeschichte fern; vielmehr spiegelt sich in ihr die Hochschätzung der *geistlichen Erfahrung* und das Aufkommen einer *Laientheologie.* Damit ist ihre Tendenz der des *Idiota de sapientia* verwandt[46].

[45] Zu dem Satz »aber die Süssigkeit deß H. Geistes habt ihr noch nicht geschmäckt« stelle ich die Äußerung des Nikolaus von Kues im Brief an Kaspar Aindorffer vom 22. September 1452 (E. Vansteenberghe, *Autour de la docte ignorance, Une controverse sur la théologie mystique au XVe siècle,* BGPhMA XIV,2–4, Münster 1915, S. 113): »Potest enim quis aliis viam ostendere, quam scit ex auditu veram, eciam si per ipsam non ambulaverit: sed certius qui visu per eam incessit. Ego, si quid scripsero aut dixero, incertius erit; nondum enim gustavi quoniam suavis est dominus.« – Ist das »nondum gustavi« als direkte Selbstaussage zu nehmen oder haftet ihm etwas Toposhaftes an?

[46] Festzuhalten ist, daß die Nachfolgefrömmigkeit in den Umkreis der Passionsmystik gehört. Auch sie geht auf Bernhard von Clairvaux zurück und gehört der affektischen Mystik zu. Vgl. das in der Bernhard-Nachfolge (wahrscheinlich von Arnulf von Löwen) gedichtete Lied *Rhythmica oratio ad unumquodlibet membrorum Christi patientis et a cruce pendentis,* einen Zyklus von sieben Betrachtungen über die Gliedmaße des gekreuzigten Heilands, und die sich daran schließende Literatur. In die Wirkungsgeschichte der Bernhardschen Passionsmystik gehört auch die Gattung der lutherischen Passionspredigt wie die vorwiegend auf protestantischem Boden gepflegte oratorische Passion mit ihren musikalischen Höhepunkten, den Bachschen Passionen.

Nachfolge ist nach *Mt.* 16,24 Kreuzesnachfolge. Vgl. F. O. Büttner, *Imitatio pietatis, Motive der christlichen Ikonographie als Modelle zur Verähnlichung,* Berlin 1983, bes. S. 47–62. Vorgebildet ist die Meditation des leidenden Christus in der *Vita Christi* des Kartäusers Ludolf von Sachsen, Cusanus besaß das Werk in cod. Cus. 100 und 101.

Hier sind nun noch folgende literarische Zusammenhänge zu beachten: *Das Büchlein der ewigen Weisheit* von Heinrich Seuse schließt mit hundert Betrachtungen über den leidenden Jesus,

So lenkt die Form des Dialogs unsere Aufmerksamkeit noch einmal auf die Gestalt des *idiota.* Sie hat als kritische Figur der *Devotio moderna* idealtypische Züge angenommen, die ich am Urteil des Dionysius Cartusianus über Johannes Ruysbroeck (Jan van Ruusbroec) verdeutlichen möchte. Dionysius beschreibt Ruusbroec[47]: »qui cùm idiota esset, & ipsius propemodùm Latini ignarus eloquij, nihilo minùs merito sanctitatis & simplicitatis suae, tam supernaturales diuinitus theorias sortitus est, & in suo quoque vulgari idiomate tam subtilissimas veritates conscripsit, vt excellentissimi sacrae Theologiae professores spiritum prae admiratione vix habeant, seque non posse sententias eius intelligere, palàm edisserant? Enim vero & ego in Christiana scientia pauper, recense modicus, hoc libere fateor, quod in nullius Ecclesiasticorum adque Catholicorum Doctorum voluminibus tantam scientiarum altitudinem, mihiqué tam difficilem comperi, vt in libris ipsius, solo uno DIONYSIO

ebenso das *Horologium sapientiae.* (Cod. Cus. 115 enthält im Anschluß an den Seuse-Text eine weitere Passionsbetrachtung: Dat boichelgyn van uns heren Jesu Christi mynnenclichen lyden (fol. 67–81^{v}). Im cod. Cus. 116 besaß Nikolaus *Die passie ons herren Jhesu Christi na den vier ewangelisten* (fol. 132^{v}–175).)

Bonaventuras *Itinerarium mentis in deum* (Opera omnia, edita studio et cura PP. Collegii S. Bonaventurae, Ad Claras Aquas [Quaracchi], vol. V, 1891, S. 293–316; das Exemplar des Cusanus: cod. Straßbourg, Bibliothèque Nationale et Universitaire, MS. 84, fol. 40^{v}–51^{v}), das Nikolaus von Kues schon sehr früh besessen hat und dessen Wirkung auf *De sapientia* deutlich ist, lenkt eingangs (I 3) und beim schließlichen transitus in die *mystica sapientia* den Blick auf den Gekreuzigten (VII 2).

[47] In *Serm. 1 de confess.*, mitgeteilt in der von Laurentius Surius besorgten lateinischen Übersetzung der Werke Ruusbroecs (Ioannis Rusbrochius, *Opera omnia, è Brabantiae Germanico idiomate reddita Latinè*, Köln 1552), am Ende der Vorrede.

dempto, cuius tamen difficultas propter styli obscuritatem magna ex parte contingit, quod utique in libris huius admirabilis viri locum non habet.« Wir begegnen hier Stichworten, die auch den *idiota* des Cusanus charakterisieren: die *profunditas* bzw. *altitudo* seiner Lehre, das Erstaunen der *docti* über die *subtilitas* der von ihm, dem (latein)unkundigen Laien, vermittelten Wahrheit, die Dialektik von *difficultas* und *facilitas* seiner Rede, das Abheben auf *sanctitas* und *simplicitas* seiner Person (das Wort von den *supernaturales theoriae* wird uns noch beschäftigen). An anderer Stelle bezeichnet Dionysius den Mönch von Groenendaal als einen bewundernswerten Mann, *magnifice eruditus,* der in seinen Büchern über die Betrachtung *(de contemplatione)* »multa profunda secundum suam experientiam conscripsit«[48]. Schließlich äußert der Kartäuser: Wie Hugo von St. Viktor ein »zweiter Augustin« genannt werde, »sic Ioannes iste mirabilis propter excellentissimam suam sapientiam nominetur alter Dionysius.– Quoniam igitur vir hic tantae sapientiae fuit, merito eum appello Doctorem divinum: quia instructorem non habuit nisi spiritum sanctum: erat enim alias illiteratus ac idiota, (id est, non admodum doctus, si ad humanam spectes sapientiam)... Unde & libros suos in vulgari conscripsit, quorum tamen profunditatem atque sententiam nemo ad plenum mirari iam valet. Quoniam itaque certus sum, virum istum a Spiritu sancto instructum, propterea magna est eius authoritas apud me«[49].

[48] *De contempl.* II art. 9; zit. ebd.
[49] *Tract. 2 de donis spiritus sancti,* art. XIII; zit. ebd.

Jan van Ruusbroec, der *idiota,* ein »alter Dionysius« von alles übertreffender Weisheit, dessen Tiefe niemand genug bestaunen kann, ein göttlicher Lehrer, unmittelbar vom Heiligen Geist selbst belehrt und deshalb eine Autorität[50].

In den drei zitierten Abschnitten entsprechen einander die Aussagen: *supernaturales diuinitus theorias sortitus est – secundum suam experientiam – instructorem non habuit nisi spiritum sanctum.* Wir werden zu fragen haben, was diese Aussagenreihe für das Verständnis des cusanischen *idiota,* für die Frage nach dem Verhältnis von natürlichem und mystischem Erkennen, von Philosophie und Theologie bedeutet. Hiermit ist ein weiterer Begriff gefallen, der uns dem Verständnis unseres Dialogs näherbringt. Die Unmittelbarkeit, als deren literarisch-rhetorische Figur der *idiota* des Cusanus zu deuten ist, ist in *De sapientia* die Unmittelbarkeit der mystischen Erfahrung der Gegenwart Gottes bzw. der Ewigen Weisheit in der heiligen, d. i. rein gemachten Seele *(sancta anima)* des Gläubigen, die mit den Metaphern von Berührung *(tactus),* Sich-Einen *(se unire)* und einer Süße, die man schmeckt *(praegustata dulcedo),* umschrieben wird (n. 17). Der Weg zu dieser unmittelbaren Erfahrung, die eine Art praktischer Erkenntnis *(cognitio experimentalis)* ist, ist der Weg, den die in

[50] Der Herausgeber teilt noch aus der *Vita Gerardi Magni* des Thomas von Kempen (d. i. die Lebensbeschreibung Geert Grootes, des Begründers der *Devotio moderna)* mit, daß dieser den weiten Weg nach Brabant geeilt sei »ad videndum sancti ac devotissimi Patris ‹Ioannis› praesentiam corporalem, vt vocem eius pretiosam, tamquam Spiritus sancti fistulam, audiret sua verba resonantem.«

der Nachfolge des (Pseudo-)Dionysius Areopagita sogenannte mystische Theologie lehrt.

Nikolaus von Kues hat die *Mystische Theologie* des Dionysius besessen.[51] Früh lernte er die *Theologia mystica* des Johannes Gerson kennen[52], die auch als die unmittelbare Quelle für seine Gestalt des *idiota* anzusehen ist. Hier lesen wir: »si philosophia dicatur scientia omnis procedens ex experientiis, theologia mystica erit vere philosophia, eruditique in ea, quomodolibet aliunde idiotae sint, philosophi recta ratione nominantur.«[53] Und: »theologia mystica licet sit suprema atque perfectissima notitia, ipsa tamen potest haberi a quolibet fideli, etiam si sit muliercula vel idiota.«[54] Die mystische Theologie ist also die eigentliche Philosophie, die höchste und vollkommenste Erkenntnis und gleichwohl jedem – auch dem schlichtesten – Gläubigen zugänglich.[55]

[51] In codd. Cus. 43–45; s. u. Anm. zu n. 10,16 f. Den Dionysius-Kommentar Alberts d. Großen besaß er in cod. Cus. 96. Dieser zeigt eine Vielzahl von Randbemerkungen des Cusanus; sie sind von L. Baur in CT III 1, Heidelberg 1941, ediert.

[52] Er besaß sie zusammen mit dem *Itinerarium* von Bonaventura (s. Anm. 46) in cod. Straßbourg, Bibliothèque Nationale et Universitaire MS 84, fol. 1^r–39^r.

[53] Ich zitiere nach der kritischen Ausgabe von P. Glorieux, Johannes Gerson, *Œuvres complètes, De theologia mystica,* Bd. III, Paris 1962, Nr. 100, S. 250–292; hier: I cons. 3, S. 253.

[54] Ebd., IV cons. 30, S. 276.

[55] Ein Nachfahre dieses *idiota,* der der wahre Philosoph ist, begegnet bei Sören Kierkegaard in *Furcht und Zittern.* Von dem Mann, der Abraham verstehen will, heißt es: »Der Mann war kein Denker … Der Mann war kein gelehrter Schriftausleger, Hebräisch konnte er nicht; hätte er Hebräisch gekonnt, mag sein, daß er die Geschichte und Abraham leicht verstanden hätte.« (Sören Kierkegaard, Gesammelte Werke, hrsg. von E. Hirsch und H. Gerdes, S. 7 f.) In dem »leicht verstanden« erscheint in ironischer Umkehrung der mystische Topos der *facilitas* wieder (s. u. Anm. zu n. 7,20).

Die Frage für den Interpreten von *De sapientia* ist, wie weit Cusanus mit der Erfahrungstheologie seines *idiota* das strittige Verhältnis von *intellectus* und *affectus* für die Gotteserkenntnis entschieden hat. Ist der Geist[56], der die Weisheit *schmeckt* (n. 13,4), das höchste Vermögen im überkommenen Aufstiegsschema der Erkenntnisweisen oder ist die *cognitio experimentalis* kein denkendes Erkennen mehr sondern von ganz anderer Art, eben mehr als *amplexus amorosus,* als Liebeserfahrung zu beschreiben?[57] Diese Frage zu beantworten, ist hier nicht der Ort, aber sie soll als Problem dem Benutzer der Ausgabe mitgegeben sein. Sie stellt sich dem aufmerksamen Leser des Werks durchgehend, da die nachgewiesenen Kontexte seiner literarischen Elemente in einem Spannungsverhältnis zum Text selbst stehen. Die Auslegung verlangt ein Maß von hermeneutischer Reflexion, das über die historisch-kritische Arbeit der Quellenscheidung weit hinausgeht. Wie in der Kunstbetrachtung ein Werk, etwa eine Komposition von Bach, nicht verstanden ist, wenn man die musik-

[56] Ich übersetze *intellectus* mit »Geist«, da Cusanus hier *intellectus* synonym mit *spiritus noster* bzw. *spiritus noster intellectualis* braucht (vgl. n. 12,22; 17,1.19). Vgl. auch *De spiritu et anima* (PL 40, 779–832; 785): Dicitur spiritus mens rationalis, ubi est quaedam scintilla tamquam oculus animae, ad quem pertinet imago et cognitio Dei. Cusanus besaß das unter dem Namen Augustins verbreitete Werk in cod. Cus. 55. Zu *oculus animae* s. unter 3. und in Anm. zu n. 29,19.

[57] Vgl. dazu E. v. Ivánka, *Apex mentis. Wanderung und Wandlung eines stoischen Terminus,* in: Zeitschrift für katholische Theologie 72 (1950), S. 129–176, besonders S. 166ff. zu Thomas Gallus (Vercellensis), Bonaventura und Hugo de Balma (mit Belegen).

sprachlichen Elemente, die von der Tradition bereitgestellt waren, herzählt und die typischen Kennzeichen des Bachschen Personalstils hinzuaddiert, sondern die Komposition in ihrer einmaligen Gestalt und Werkhaftigkeit phänomenal zu beschreiben ist (und in diesem Fall nach der Analyse noch zu realisieren – was bei der Musik im eigentlichen Sinn die »Interpretation« heißt), so ist ein Text in der Komplexheit seiner vorliegenden Gestalt zum Sprechen zu bringen.

Der *idiota* ist von seiner Herkunft her eine religiöskritische Figur. Sein Lehrer ist der Heilige Geist. Was macht Cusanus aus dieser Vorgabe, poetisch gesehen? »Miror« ist das erste Wort, das der Laie spricht. Es weist ihn als Philosophen aus, denn das Staunen ist der Anfang aller Philosophie. Der cusanische *idiota* ist der, der ursprünglich denkt (der die Phänomene hinterfragt, würde man heute wohl sagen). Aber das hat nichts mit »Autonomie der Vernunft« (Blumenberg) zu tun. Der *idiota* hört den Ruf der Weisheit in den Gassen (n. 3,14 f.), er liest in »Gottes Büchern« (n. 4,8), der Natur, er sieht im Schönen die Schönheit selbst widerstrahlen (n. 10,22f.; 14,5f.), er fühlt in allem was ist, wie die ewige Weisheit ihn zu sich zieht (attrahit). Die Unmittelbarkeit seiner Erkenntnis liegt gerade in der Erfahrung, daß *Sapientia* sich vermittelt. Dies ist mit dem Schema natürlich – übernatürlich hermeneutisch nicht zu fassen. Es ereignet sich als *praegustatio*. In der *praegustatio* fällt beides zusammen: die philosophisch-theologische Erfahrung des absoluten *prae* Gottes, der vor und hinter allem ist, was als Geschaffenes und Gewirktes begegnet, der ruft und zieht und leuchtet, und die geistliche

Erfahrung eines geschenkten Vorweg, das im Vorschmack das Ganze, in einer sinnlichen Präsenzerfahrung augenblickhaft *(in momento)* die eschatologische Fülle und Freude antizipiert.

Entsprechendes gilt bezüglich der literarischen Form des Dialogs. Als mögliche Vorbilder lassen sich philosophische, scholastische, mystische und volkstümlich-erbauliche Texte nennen. Sie alle sind mit ihren Konnotationen im Dialog *De sapientia* komplex gegenwärtig. (Auch insofern ist der *idiota* des Cusanus keine schlicht-unmittelbare sondern eine literarische und höchst manierierte Gestalt: denn er, der im Aufbruch zu neuer Unmittelbarkeit die Bücher hinter sich läßt, verarbeitet de facto eine Tradition, die sich *schriftlich* vermittelt hat.)

Inhaltlich in das Dialogische die Urform geistigen Seins, das in der Reflexion sich vor sich selbst bringt (christlich gedacht als ewiges Gespräch des Vaters mit dem Sohn und als Schöpfung durch das Wort) und in Rückbindung an seinen Grund in nicht-endender Annäherung das Unsagbare zu sagen sucht (christlich geübt im Dialog der liebenden Seele mit ihrem Bräutigam). Die Sprachlichkeit des Seienden, in der sich der Logos, durch den alles geschaffen ist (*Joh.* 1,1–3), kundtut, macht es brauchbar für affirmative Aussagen einer *theologia sermocinalis* (n. 33). Diese steht in Spannung zur Unnennbarkeit Gottes und zu der grundsätzlichen Inkommunikabilität von Erfahrung. Der sprachphilosophische Ansatz des Cusanus ist von dieser Ambivalenz gezeichnet. Wie er selbst mit Sprache umgeht, die Sprache, die er spricht, ist daher jetzt noch zu betrachten.

3. *Die Sprache der Mystik*

Mystisches Erkennen oder Wahrnehmen Gottes, *cognitio dei experimentalis,* ist eine metasprachliche Erfahrung. Will sie sich mitteilen, so muß sie sich ihre eigene Sprache schaffen. Dies macht ihre Verwandtschaft zur Dichtung aus[58] und fordert ihr, weil sie ständig die Grenze des Sagbaren überschreiten muß, »eine extreme Anstrengung« (W. Beierwaltes) ab, die sich in einer reichen, stark biblisch geprägten Metaphorik, in Paradoxien und schließlich im Sprengen der Bildlichkeit kundtut. Ihre Paradoxien hat Nikolaus von Kues im Denken der *docta ignorantia* zur Methode gemacht. Ihre Metaphorik bestimmt das erste Buch des *Idiota de sapientia.* Dieses unterscheidet sich sprachlich auffallend von den drei anderen Idiota-Büchern. Die »mystische« Sprache des Cusaners knüpft hier an die alte Überlieferung von den geistlichen Sinnen[59]. Alois Haas macht darauf aufmerksam, daß der Unsagbarkeitstopos der Mystik als Gegenstück die Synästhesie mit sich führt[60]. *Sapientia* wird vornehmlich im »inneren Schmecken« *(internum sapere,* n. 10,11) erfahren. Begriffe des Wortfeldes *gustus*

[58] Vgl. A. M. Haas, *Sermo mysticus* (s. Anm. 46), 4.1. Dichtung und Mystik, bes. S. 80 f., 87, 102; s. auch W. Beierwaltes in: *Abendländische Mystik im Mittelalter. Symposion Kloster Engelberg 1984,* hrsg. v. K. Ruh, 2. Tag: Philosophisch-theologische Positionen und Voraussetzungen der mittelalterlichen Mystik, Einführung, S. 116.

[59] Vgl. J. Châtillon, Art. »Dulcedo, dulcedo Dei«, in: *Dictionnaire de spiritualité ascétique et mystique,* III, Paris 1957, Sp. 1777–1795; hier Sp. 1790 f. über die *doctrine des sens spirituels* bei Origenes, Gregor von Nyssa, Augustin.

[60] A. M. Haas, ebd., S. 96.

(als »Ort« der Erfahrung) und *dulcis* bzw. *suavis* (als »Inhalt« der Erfahrung) sind im *Idiota de sapientia* tragend[61]. Sie sind Metaphern der mystischen Präsenzerfahrung[62]. Ihre biblische Herkunft sind das Manna (2. *Mos.* 16,13f.; vgl. *Joh.* 6,31–35) als Typos des Abendmahls und Milch und Honig (2. *Mos.* 3,8), die Speise der Heilszeit. Grundlegender Text, an dem sich die Speise-Metapher ausbildete, ist *Ps.* 33 (Vulgata, 34 Luther), 9: »Gustate et videte, quoniam suavis est Dominus.«[63] Der Vers wurde auf das Schmecken der Gegenwart des Herrn im Abendmahl gedeutet[64]. Aufgrund der geglaubten Realpräsenz Christi im Sakrament der Eucharistie ist diese der exemplarische Ort, wo *praegustatio* als Vorschmack des Heils sich ereignet. *Praegustatio,* zentraler Begriff in *Idiota de sapientia,* entstammt der Sprache der Eucharistiefrömmigkeit und gehört auch liturgisch hierher[65]. Das Her-

[61] Das innere Berührtwerden (bei Seuse und Ruusbroec häufiger) und das Auge des Geistes erscheinen beiläufig (*interne tactus* n. 17,7; *oculi mentis* n. 29,17). Das Schauen *medio aenigmatico* (n. 47,4) und der Geruch, von dem n. 10,21 in Anspielung auf *Hld.* 1,3 die Rede ist, vervollständigen die Reihe der auf Gott gerichteten geistlichen Sinne.

[62] Hier grundlegend H. Lausberg, *Hymnologische und hagiographische Studien I: Der Hymnus »Jesu dulcis memoria«,* München 1967.

[63] Belege bei Châtillon (s. Anm. 59), Sp. 1783f.; 1787; 1790–1793.

[64] Nikolaus spielt auch in *De sap.* auf ihn an, s. u. n. 27,7f. Die Übertragung auf das »Schmecken« in der mystischen Erkenntnis (bzw. im mystischen »Sehen«, *videre*) ist bei Cusanus immer im Kontext der ursprünglichen und für ihn, der regelmäßig die Messe zelebriert, stets gegenwärtigen Bedeutung des Zitats zu sehen. (Auch dies ist bei der Auslegung der in Anm. 45 angeführten Briefstelle zu bedenken.)

[65] Vgl. die Fronleichnamsequenz »Ave, verum corpus« (Inno-

renmahl ist aber als Vorabbild des endzeitlichen Hochzeitsmahls (*Mt.* 22,1–14) zugleich der Ort der Kommunikation der Seele mit Christus, dem Bräutigam, also wiederum ein ursprünglicher Ort des Dialogs[66]. Diese ursprunghaft dialogische Struktur von *praegustatio* hat philosophische Relevanz. Der Geist, der vom Lebensbrot gekostet hat, weiß sich *(sentit)* in nicht endender sehnsuchtsvoller Bewegung zu dem hin, von dem diese Sehnsucht herkommt, und begegnet in eben dieser Sehnsucht dem Urheber derselben in sich – oder, anders gesagt: Voraussetzung (im Sinne von Grundlage, des Von-her) des denkenden Suchens

zenz IV. zugeschrieben), in Mozarts Vertonung allgemein bekannt; krit. Ausgabe: *Analecta Hymnica medii aevi,* Teil 2 Bd. 1, Liturgische Prosen des Übergangsstiles und der zweiten Epoche, hrsg. von Cl. Blume und H. M. Bannister, Leipzig 1915, Nr. 167 *De corpore Christi.*

66 Dieses Wissen ist noch aufbewahrt in Bachs Kantate BWV 49 auf den 20. Sonntag nach Trinitatis (Evangelium: *Mt.* 22,1–14) »Ich geh und suche mit Verlangen/Dich, meine Taube, schönste Braut«, die die Form eines *Dialogus* zwischen Jesus (Baß) und der Seele (Sopran) hat und deren Text neben Gedanken des Sonntagsevangeliums Verse aus dem Hohenlied verarbeitet. – Auch die anderen zwei erhaltenen Kantaten auf diesen Sonntag deuten das Abendmahl als geistliche Vereinigung bzw. als Vorabbildung der endzeitlichen Vereinigung; vgl. BWV 162 »Ach! ich sehe, itzt, da ich zur Hochzeit gehe« (Text: Salomo Franck), Arie Nr. 3 (Sopran): ... Lebensbrot, das ich erwähle,/Komm, vereine dich mit mir! S. auch den eschatologischen Bezug in Rez. Nr. 4: ... So werd ich würdiglich das Mahl des Lammes schmecken, vgl. *Offb.* 19,19. BWV 180 »Schmücke dich, o liebe Seele«, Nr. 3 Choral (Sopran): Ach, wie hungert mein Gemüte,/... Wünsche stets, daß mein Gebeine/Sich durch Gott mit Gott vereine. Vgl. auch Arie Nr. 5: Lebens Sonne, Licht der Sinnen,/Herr, der du mein alles bist! ...; Rez. Nr. 6: ... Entzünde du in Liebe meinen Geist,/Daß er sich nur nach dem, was himmlisch heißt,/im Glauben lenke ...; Schlußchoral: Jesu, wahres Brot des Lebens ... Das sind Topoi und sprachliche Wendungen, wie sie auch in *De sapientia* begegnen.

ist die schon erfahrene Gegenwart des Gesuchten in der Seele (und damit ein Affiziertsein)[67]. Dem rationalen Diskurs ist dies nur in einem Nacheinander und einem Begründungszusammenhang faßbar. Im »mystischen«, erfahrungshaften Erkennen ist es in einer affektiv perzipierten Qualität als Eines gegenwärtig.

Eine Analogie zu dem, was *cognitio experimentalis* der rationalen Erkenntnis »voraus« hat, ist die spezifische Möglichkeit der Musik, Präsenz zu vermitteln. Ich spreche in diesem Zusammenhang gern vom *hermeneutischen Plus der Musik* dem Text gegenüber. So läßt sich in Vokalkompositionen von Johann Sebastian Bach beobachten, daß etwas, was im Text in der Zukunft liegt, in der Musik Gegenwart ist: ein Imperativ wird zum Indikativ, ein Suchen zum Gefundenhaben, eine Bitte zur Erfüllung[68]. In allen Fällen ist dann *die Musik bewegte Gestalt antizipierter Freude*[69].

[67] Siehe u. n. 10–12. Vgl. auch die Bemerkung von Beierwaltes (s. Anm. 58) über die neuplatonische »Präpositionen-Metaphysik« bei Augustin.

[68] Vgl. BWV 155 »Mein Gott, wie lang, ach lange?« Nr. 4; BWV 249 »Kommt, eilet und laufet, ihr flüchtigen Füße« (Oster-Oratorium), Nr. 8; BWV 211 »Schweigt stille, plaudert nicht« (Kaffeekantate), Nr. 8.

[69] Man vergleiche den Sprachbestand in *De sapientia* und den angeführten Kontexten: Das »Schmecken« Gottes oder der Weisheit bedeutet (d. h. hat die Qualität von, wird beschrieben als) *gaudium, laetitia, jucunditas, exsultatio, delectatio, deliciae,* und es bringt in Bewegung (man beachte auch die Menge von Verben der Bewegung). Der Heilige Geist ist der Geist der Freude und der Geist der Bewegung – seit der Renaissance auch musikalisch so abgebildet. Vgl. Lothar und Renate Steiger, *»Mein Gott, wie lang, ach lange!« Herzensfrömmigkeit in der Kantate 155*, in: Johann Sebastian Bach. Prediger in Tönen, hrsg. von W. Böhme, Herrenalber Texte 64, 1985, S. 25–71; 104–107; bes. S. 53 f.

4. *Idiota de sapientia* eine »mystische« Schrift?

Als »einzige ausgesprochen mystische Schrift« des Kardinals gilt allgemein *De visione dei*[70]. Wenn ich den *Idiota de sapientia* mit dem Begriff »Mystik« zusammenbringe, dann vornehmlich aufgrund seiner Sprache, die deutlich auf die von *De visione dei* vorausweist, aufgrund also eines literarkritischen Befundes, der – bei aller von der Definitionslage her gebotenen Zurückhaltung im Gebrauch dieses Begriffs – unstrittig sein dürfte:

a) Cusanus selbst hat sich im Briefwechsel mit den Mönchen des Benediktinerklosters Tegernsee, in dem es um die Frage nach dem Verhältnis von Erkenntnis und Liebe, von *intellectus* und *affectus* in der mystischen Theologie ging, eindeutig darüber geäußert, was diese auszeichnet: das Schmecken, die *degustatio,* »que sine summa dulcedine et caritate non potest esse«[71]. Im Sinne dieses Sprachgebrauchs hätte Cusanus selbst das erfahrungsmäßige Erkennen Gottes, das er im *Idiota de sapientia* beschreibt, als mystische Theologie bezeichnet.

b) Die Metaphern und Beispiele, deren er sich be-

[70] J. Quint, Art. »Mystik« (s. Anm. 43), S. 87; vgl. J. Bernhart, *Die philosophische Mystik des Mittelalters,* München 1922 /²Darmstadt 1980, S. 226. – Zum Begriff »Mystik« vgl. außer Quint, a.a.O., S. 65 f. auch A. M. Haas, *Sermo mysticus,* 7.1., S. 256–258, Was ist christliche Mystik?

[71] Brief an die Mönche von Tegernsee vom 14. September 1453 (Vansteenberghe, s. Anm. 45, S. 115); mit Blick auf Anm. 45 beachte die Bemerkung: wie man sich zur mystischen Theologie erhebt, sei schwer zu vermitteln (difficiliter tradi potest), nam degustacio illa ... in hoc mundo perfecte non potest haberi.

dient, die dem denkenden Aufstieg »vorauf« liegende Erfahrung zu nennen, das Unaussprechliche mitzuteilen, sind die Sprachbilder und Exempel, die eine von Augustin und Bernhard herkommende ekstatische Frömmigkeit geprägt hat. Sie gehört dem Zweig der sogenannten affektischen Mystik zu[72]. Die Beobachtungen zur Sprache stimmen zu dem, was ich über die Bedeutung des Dialogs und die Gestalt des *idiota* in der Spiritualität der *Devotio moderna* ausführte. Das Interesse an diesem mystischen Grundton und dem theologisch-praktischen Ansatz der Schrift war den Tradenten der vom Magdeburger Exemplar abstammenden Handschriften von *Idiota de sapientia* gemeinsam.

Hindeutend darauf, wie die Zeitgenossen *De sapientia* verstanden, ist auch der Standort in der Bibliothek der Aggsbacher Kartause: Wir finden den *dyalogus ydiote et oratoris de sapiencia* zusammen mit dem *trac(ta)tus bonus de visione dei Nicolai de Cusa cardinalis* in der Abteilung der Exegetica zwischen Hohelied-kommentaren[73].

Daß die höchste Weisheit *(suprema sapientia)* Gegenstand der mystischen Theologie, der anagogischen Schriftauslegung ist, finden wir im Bibliothekskatalog eines anderen Kartäuserklosters breit reflektiert. Jakob Volradi, Bibliothekar der Erfurter Kartause auf dem Salvatorberg, stellt in der 2. Hälfte des 15. Jahrhunderts ein Verzeichnis her und beschreibt die Aufstellung der Bücher:

72 Auch J. Quint äußert (a.a.O., S. 87), als Mystiker sei Nikolaus von Kues »gemütstief, affektisch, Bernhardisch, mehr praktisch als theoretisch«. Er gleiche hierin »etwa Ruysbroeck«. Vgl. J. Bernhart, a.a.O., S. 214.

73 Th. Gottlieb, *Mittelalterliche Bibliothekskataloge Österreichs,* I. Bd., *Niederösterreich,* Wien 1915, 76. Katalog aus der zweiten Hälfte des 15. Jahrhunderts, C 12, S. 566 f.

»... D
E > Ponunt sensum anagogicum biblie et hic magis est legendum devotis et sinceris fratribus, qui volunt illuminari in intellectu et inflammari in affectu, precipue in Littera D, ubi late agitur de mistica theologia secundum anagogicas et purissimas ductiones sursum ...«[74]
F

Die Schriften des Cusanus standen, der mystischen Theologie zugeordnet, unter D[75].

Der Leser des *Idiota de sapientia* muß die theologischen Kontexte, die die Sprache anklingen läßt, mithören. Ich weise daher in dieser Studienausgabe – über die kritische Ausgabe in h hinausgehend – auf eine Reihe solcher Kontexte zur Begriffs- und Frömmigkeitsgeschichte hin, zuweilen auch auf ihre weitere Tradition bis ins 17./18. Jahrhundert. Dabei handelt es sich weder um Quellennachweise im direkten Sinn noch um die Konstruktion einer Wirkungsgeschichte des Cusanus bis in die geistliche Dichtung des Barock hinein. Worauf ich hindeuten möchte, ist die Kontinuität einer gemeinchristlichen Überlieferung, in die Cusanus sich hineinstellt, das Fortwirken einer biblisch geprägten Sprache (auch die Vulgata war – wie später Luthers Bibelübersetzung für die deutsche Sprache – sprachbildend und kann in ihrer Bedeutung

[74] P. Lehmann, *Mittelalterliche Bibliothekskataloge Deutschlands und der Schweiz,* Bd. II, München 1928, 14. Karthause Salvatorberg, S. 221–593; hier: S. 242. E. von Ivánka hat auf das Verzeichnis und die symbolische Anordnung der Bücher aufmerksam gemacht, a.a.O., (s. Anm. 57) S. 147 f.

[75] Unter D 19 neben *De visione dei et docta ignorantia N. de Cusa* und *Tractatus de coni.* auch *Tractatus de querendo Deum sive abbreviatio praxis mistice theologie.* S. dazu o. S. IX: Thomas Hirschhorn hat im Trierer Codex außer *Idiota de sapientia* auch *De quaerendo deum* und *De filiatione dei* kopiert – der *praxis mysticae theologiae* wegen.

für die Spiritualität des Mittelalters nicht überschätzt werden!) und damit eines Fundus von Auslegungstopoi, schließlich die Entsprechung bestimmter theologischer und philosophischer Denkformen und Aussagen. Die Interpretationsarbeit selbst ist noch zu tun, die begleitenden Anmerkungen sind nur ein Anfang. Die Anstrengung des Gedankens, die der *idiota* uns anmutet, wird eine unendliche sein, wie ihr Ursprung und Ziel, die ewige Weisheit, unendlich ist und nicht auszudenken die Dialektik ihrer Nähe und Ferne.

5. Zur Ausgabe und zur Übersetzung

Dieser Studienausgabe liegt der lateinische Text der Editio maior in h V zugrunde, deren Nummernzählung übernommen wurde (in der Zeilenzählung innerhalb der numeri ergeben sich infolge des anderen Satzspiegels Differenzen). Die Foliierung der Ausgabe Paris 1514 (Nachdruck Frankfurt a. M. 1962) ist am Rand angegeben.

Für den textkritischen Apparat wird auf hV verwiesen. Aus dem Quellen- und Parallelenapparat der großen Ausgabe sind die wichtigsten Belege übernommen.

Bei der Übersetzung hielt ich mich wiederum an den Grundsatz: so wörtlich wie möglich und so frei wie nötig. Ein Bemühen um eleganteren Ausdruck hätte zuweilen von der Schwierigkeit der Materie abgelenkt.

Die Reproduktion der Initiale zum Introitus am Osterdienstag erfolgte aus dem Buch »Das Corvinus-

Graduale« mit freundlicher Genehmigung des Verlages Werner Dausien, Hanau. Das im Original farbige Initialbild hat die Maße 167 × 170 mm.

Ich danke allen, die das Entstehen dieses Buches begleitet haben, dem Herausgeber der *Schriften des Nikolaus von Kues in deutscher Übersetzung,* Karl Bormann, Köln, für die Aufnahme in diese Reihe, dem Vorsitzenden der Cusanus-Commission, Werner Beierwaltes, München, dafür, daß er mich in der Intention, durch Hinweise auf Analogien und Kontexte den Text weiter zu erschließen, unterstützt hat. Mein besonderer Dank gilt dem Felix Meiner Verlag, Hamburg, den Herren Richard und Manfred Meiner, für die Treue und Einsatzbereitschaft, die sie der Cusanus-Ausgabe erweisen, und Herrn Adolf Beland, der die Drucklegung betreute, für die wiederum bewährte vertrauensvolle Zusammenarbeit.

Renate Steiger

Heidelberg,
am Sonntag Quasimodogeniti 1987

NIKOLAUS VON KUES

IDIOTA DE SAPIENTIA

DER LAIE ÜBER DIE WEISHEIT

Ed. paris. I, fol. 75r

IDIOTA DE SAPIENTIA 1

Liber primus

Convenit pauper quidam idiota ditissimum oratorem in foro Romano, quem facete subridens sic allocutus est:

Miror de fastu tuo, quod, cum continua lectione defatigeris innumerabiles libros lectitando, nondum ad humilitatem ductus sis; hoc certe ex eo, quia »scientia« »huius mundi«, in qua te ceteros prae|cellere putas, »stultitia« quaedam »est apud deum« et hinc »inflat«. Vera autem scientia humiliat. Optarem, ut ad illam te conferres, quoniam ibi est thesaurus laetitiae.

Orator: Quae est haec praesumptio tua, pauper idiota et penitus ignorans, ut sic parvifacias studium litterarum, sine quo nemo proficit?

Idiota: Non est, magne orator, praesumptio, 2
quae me silere non sinit, sed caritas. Nam video te deditum ad quaerendum sapientiam multo casso labore, a quo te revocare si possem, ita ut et tu errorem perpenderes, puto contrito laqueo te evasisse gauderes. Traxit|te opinio auctoritatis, ut sis quasi equus natura liber, sed arte capistro alligatus

1 DER LAIE ÜBER DIE WEISHEIT

Erstes Buch

Ein armer ungebildeter Mann traf auf dem Forum Romanum einen sehr reichen Redner. Den sprach er mit einem Lächeln auf feine Weise folgendermaßen an: Ich wundere mich über deinen Hochmut, daß du, obgleich du dich mit fortwährendem Lesen völlig erschöpfst, indem du unzählige Bücher studierst, doch noch nicht zur Demut geführt worden bist; das kommt sicher daher, daß die Weisheit dieser Welt, durch die du, wie du meinst, die anderen übertriffst, bei Gott eine Torheit ist und darum aufbläht. Wahres Wissen aber macht demütig. Ich wünschte, daß du dich ihm zuwendetest, denn dort ist der Freudenschatz.

Redner: Was ist das für eine Anmaßung von dir, du armer ungebildeter und völlig unwissender Mann, daß du das Bücherstudium so geringschätzt, ohne das niemand vorankommt?

2 *Laie:* Nicht Anmaßung ist es, großer Redner, was mich nicht schweigen läßt, sondern Liebe. Denn ich sehe, daß du dich mit viel vergeblicher Mühe der Suche nach der Weisheit widmest. Könnte ich dich davon zurückrufen, so daß auch du den Irrtum überdächtest: ich glaube, du würdest dich freuen, daß der Strick zerrissen ist und du entkommen bist. Dich zog die Meinung einer Autorität, so daß

praesepi, ubi non aliud comedit nisi quod sibi ministratur. Pascitur enim intellectus tuus auctoritati scribentium constrictus pabulo alieno et non naturali.

Orator: Si non in libris sapientum est sapientiae pabulum, ubi tunc est?

Idiota: Non dico ibi non esse, sed dico naturale **3**
ibi non reperiri. Qui enim primo se ad scribendum de sapientia contulerunt, non de librorum pabulo, qui nondum erant, incrementa receperunt, sed naturali alimento »in virum perfectum« perducebantur. Et hi ceteros, qui ex libris se putant profecisse, longe sapientia antecedunt.

Orator: Quamvis forte sine litterarum studio aliqua sciri possint, tamen res difficiles et grandes nequaquam, cum scientiae creverint per additamenta.

Idiota: Hoc est quod aiebam, scilicet te duci auctoritate et decipi. Scripsit aliquis verbum illud, cui credis. Ego autem tibi dico, quod | »sapientia foris« clamat »in plateis«, et est clamor eius, quoniam ipsa habitat »in altissimis«.

Orator: Ut audio, cum sis idiota, sapere te putas. **4**
Idiota: Haec est fortassis inter te et me diffe-

du wie ein Pferd bist, das von Natur frei, aber mit dem Halfter kurz an die Krippe gebunden ist, wo es nichts anderes frißt, als was ihm vorgeworfen wird. Denn deine Vernunft, gebunden an die Autorität der Bücherschreiber, nährt sich von fremder und nicht von der natürlichen Nahrung.

Redner: Wenn nicht in den Büchern der Weisen Weisheitsnahrung ist, wo ist sie dann?

3 *Laie:* Ich sage nicht, daß sie dort nicht ist, sondern ich sage, daß sie in ihrer natürlichen Reinheit nicht dort gefunden wird. Denn die sich zuerst daran machten, über die Weisheit zu schreiben, nahmen das Wachstum nicht aus Bücherfutter, das es noch nicht gab, sondern durch natürliche Nahrung wurden sie vollkommene Männer. Und diese sind den anderen, die meinen, aufgrund von Büchern vorangekommen zu sein, in der Weisheit weit voraus.

Redner: Obwohl ohne Bücherstudium vielleicht manches gewußt werden kann, so doch keineswegs die schwierigen und bedeutenden Gegenstände, da die Wissenschaften durch Hinzufügungen gewachsen sind.

Laie: Das ist ja, was ich sagte: daß du von einer Autorität geführt und getäuscht wirst. Irgend jemand hat dieses Wort geschrieben, und du glaubst ihm. Ich aber sage dir: die Weisheit ruft draußen auf den Straßen, und es ist ihr Rufen, daß sie selbst in den höchsten Höhen wohnt.

4 *Redner:* Wie ich höre, hältst du dich für weise, obwohl du ein Laie bist.

Laie: Dies ist vielleicht der Unterschied zwi-

rentia: Tu te scientem putas, cum non sis, hinc superbis. Ego vero idiotam me esse cognosco, hinc humilior. In hoc forte doctior exsisto.

Orator: Quomodo ductus esse potes ad scientiam ignorantiae tuae, cum sis idiota? |

Idiota: Non ex tuis, sed ex dei libris.

Orator: Qui sunt illi?

Idiota: Quos suo digito scripsit.

Orator: Ubi reperiuntur?

Idiota: Ubique.

Orator: Igitur et in hoc foro?

Idiota: Immo. Et iam dixi, quod sapientia clamat »in plateis«.

Orator: Optarem audire quomodo.

Idiota: Si te absque curiosa inquisitione affectum conspicerem, magna tibi panderem.

Orator: Potesne hoc brevi tempore efficere, ut quid velis degustem?

Idiota: Possum.

Orator: Contrahamus igitur nos in hanc tonsoris proximam quaeso apothecam, ut sedentes quietius loquaris. |

Placuit idiotae. Et intrantes locum aspectum in forum vertentes sic exorditus est *Idiota* sermonem: **5**

Quoniam tibi dixi sapientiam clamare »in pla-

schen dir und mir: Du hältst dich für wissend, während du es nicht bist; daher bist du hochmütig. Ich aber erkenne an, daß ich ein unwissender Mensch bin; daher bin ich demütiger. Hierin bin ich vielleicht belehrter.

Redner: Wie kannst du zum Wissen deiner Unwissenheit geführt worden sein, da du doch ein unwissender Mensch bist?

Laie: Nicht aus deinen, sondern aus Gottes Büchern.

Redner: Welche sind das?

Laie: Die er mit seinem Finger geschrieben hat.

Redner: Wo findet man die?

Laie: Überall.

Redner: Also auch auf diesem Marktplatz?

Laie: Freilich. Ich sagte ja schon, daß die Weisheit auf den Straßen ruft.

Redner: Ich möchte wohl hören, wie.

Laie: Wenn ich in dir einen sehen könnte, der ohne neugieriges Wissenwollen vom Drang nach Einsicht bewegt ist, würde ich dir Großes eröffnen.

Redner: Kannst du das in kurzer Zeit zuwege bringen, so daß ich eine Kostprobe davon bekomme, was du willst?

Laie: Das kann ich.

Redner: Ziehen wir uns also bitte in diese nächstgelegene Barbierstube zurück, damit du, während wir sitzen, mit mehr Ruhe reden kannst.

5 Das war dem Laien recht. Sie traten ein, wandten den Blick auf das Forum, und der Laie begann folgendermaßen zu reden:

Was ich dir gesagt habe, daß die Weisheit auf

teis«, et clamor eius est ipsam »in altissimis« habitare, hoc tibi ostendere sic conabor. Et primum velim dicas: Quid hic fieri conspicis in foro?

Orator: Video ibi numerari pecunias, in alio angulo ponderari merces, ex opposito ¦ mensurari oleum et alia.

Idiota: Haec sunt opera rationis illius, per quam homines bestias | antecellunt; nam numerare, ponderare et mensurare bruta nequeunt. Attende nunc, orator, per quae, in quo et ex quo haec fiant, et dicito mihi.

Orator: Per discretionem.

Idiota: Recte dicis. Per quae autem discretio? Nonne per unum numeratur?

Orator: Quomodo?

Idiota: Nonne unum est unum semel, et duo est unum bis, et tria unum ter, et sic deinceps? |

Orator: Ita est.

Idiota: Per unum igitur fit omnis numerus?

Orator: Ita videtur.

Idiota: Sicut igitur unum est principium numeri, ita est pondus | minimum principium ponderandi et mensura minima principium mensurandi. Vocetur igitur pondus illud uncia et mensura petitum. Nonne sicut per unum numeratur, ita per unciam ponderatur et per petitum mensuratur? Sic etiam **6**

den Straßen ruft und daß ihr Ruf ist, daß sie selbst in den höchsten Höhen wohnt, dies will ich so versuchen, dir zu zeigen. Sag mir zuerst: Was, siehst du, geschieht hier auf dem Markt?

Redner: Ich sehe, daß dort Geld gezählt, in einer anderen Ecke Ware abgewogen, gegenüber Öl und anderes abgemessen wird.

Laie: Das sind die Tätigkeiten derjenigen Verstandeskraft, durch die die Menschen sich vor den Tieren auszeichnen; denn zählen, wägen und messen können Tiere nicht. Nun achte darauf, Redner, wodurch, worin und aufgrund wessen dieses geschieht, und sag es mir.

Redner: Durch Unterscheidung.

Laie: Richtig. Wodurch aber geschieht Unterscheidung? Wird nicht vermittelst der Eins gezählt?

Redner: Wie?

Laie: Ist nicht die Eins das Eine einmal, und die Zwei ist das Eine zweimal, und die Drei das Eine dreimal und so fort?

Redner: Ja.

Laie: Durch das Eine also kommt jede Zahl zustande?

Redner: So scheint es.

6 *Laie:* Wie also das Eine das Prinzip der Zahl ist, so ist das kleinste Gewicht das Prinzip des Wägens und das kleinste Maß das Prinzip des Messens. Jenes Gewicht soll Unze und das Maß Petit heißen. Wird nicht, wie mit der Eins gezählt, so mit der Unze gewogen und mit dem Petit gemessen? So ist auch aufgrund der Eins das Zählen, aufgrund der

ex uno est numeratio, ex uncia ponderatio, ex petito mensuratio. Ita et in uno est numeratio, in uncia ponderatio, in petito mensuratio. Nonne haec sic se habent?

Orator: Immo.

Idiota: Per quid autem attingitur unitas, per quid uncia, per quid petitum?

Orator: Nescio. Scio tamen, quod unitas non attingitur numero, quia numerus est post unum, sic nec uncia pondere nec petitum mensura.

Idiota: Optime ais, orator. Sicut enim simplex prius est natura composito, ita compositum natura posterius; unde compositum non | potest mensurare simplex, sed e converso. Ex quo habes, quomodo illud, per quod, ex quo et in quo omne numerabile numeratur, non est numero attingibile, et id, per quod, ex quo et in quo omne ponderabile ponderatur, non est pondere attingibile. Similiter et id, per quod, ex quo et in quo omne mensurabile mensuratur, non est mensura attingibile.

Orator: Hoc clare conspicio.

Idiota: Hunc clamorem sapientiae in plateis 7
transfer in altissima, ubi sapientia habitat, et multo delectabiliora reperies quam in omnibus ornatissimis voluminibus tuis.

Unze das Wägen, aufgrund des Petits das Messen. Derart ist auch in der Eins das Zählen begründet, in der Unze das Wägen, im Petit das Messen. Verhält das sich nicht so?

Redner: Gewiß.

Laie: Wodurch aber gelangt man zur Einheit, wodurch zur Unze, wodurch zum Petit?

Redner: Das weiß ich nicht. Ich weiß jedoch, daß die Einheit nicht durch eine Zahl erreicht wird, weil die Zahl nach dem Einen kommt; so auch nicht die Unze durch ein Gewicht und das Petit nicht durch ein Maß.

Laie: Sehr gut sprichst du, Redner. Wie nämlich das Einfache von Natur aus früher ist als das Zusammengesetzte, so ist das Zusammengesetzte von Natur aus später; daher kann das Zusammengesetzte das Einfache nicht messen, sondern umgekehrt. Daraus siehst du, daß das, wodurch, aufgrund wessen und worin alles Zählbare gezählt wird, nicht durch eine Zahl erreichbar ist, und das, wodurch, aufgrund wessen und worin alles Wägbare gewogen wird, ist nicht durch ein Gewicht erreichbar. Dementsprechend ist auch das, wodurch, aufgrund wessen und worin alles Meßbare gemessen wird, nicht durch ein Maß zu erreichen.

Redner: Das sehe ich deutlich.

7 *Laie:* Diesen Ruf der Weisheit auf den Straßen übertrage auf die höchsten Höhen, wo die Weisheit wohnt, und du wirst viel Ergötzlicheres finden als in allen deinen prächtig ausgeschmückten Büchern.

Orator: Nisi quid per hoc velis exponas, non intelligo.

Idiota: Nisi ex affectu oraveris, prohibitus sum, ne faciam, nam secreta sapientiae non sunt omnibus passim aperienda. |

Orator: Multum desidero te audire, et ex paucis inflammor. Ea enim, quae iam praemisisti, aliquid magni futurum annuntiant. Rogo igitur, ut incepta prosequaris.

Idiota: Nescio, si liceat tanta secreta detegere et tam altam profunditatem facilem ostendere. Tamen nequeo me continere, quin tibi complaceam. Ecce frater: Summa sapientia est haec, ut scias quomodo in similitudine iam dicta attingitur inattingibile inattingibiliter.

Orator: Mira dicis et absona.

Idiota: Haec est causa, cur occulta non debent **8**
communicari | omnibus: quia eis absona videntur, quando panduntur. Admiraris me dixisse sibi contradicentia. Audies et gustabis veritatem. Dico autem, quod, sicut iam ante de unitate, uncia et petito dixi, ita de omnibus quoad omnium principium dicendum. Nam omnium principium est, per quod, in quo et ex quo omne principiabile principiatur, et tamen per nullum principiatum attingibile. Ipsum

Redner: Wenn du nicht auseinandersetzt, was du damit sagen willst, verstehe ich es nicht.

Laie: Wenn du nicht aus innerer Begier gebeten hast, bin ich gehindert, es zu tun, denn die Geheimnisse der Weisheit sind nicht allen allseits zu eröffnen.

Redner: Ich begehre sehr, dich zu hören, und aufgrund des Wenigen bin ich entflammt. Denn das, was du soeben vorausgeschickt hast, kündigt an, daß das, was noch kommt, etwas Großes sein wird. Ich bitte also, daß du das Begonnene weiter beschreibst.

Laie: Ich weiß nicht, ob es erlaubt ist, so große Geheimnisse aufzudecken und solch tiefe Abgründigkeit als leicht darzubieten. Dennoch kann ich mich nicht zurückhalten, dir den Gefallen zu tun. Sieh, Bruder: Die höchste Weisheit ist die, zu wissen, daß in dem vorgetragenen Gleichnis das Unberührbare auf nicht berührende Weise berührt wird.

Redner: Wunderliches sagst du und Ungereimtes.

8 *Laie:* Das ist der Grund, warum das Verborgene nicht allen mitgeteilt werden darf: weil es ihnen ungereimt erscheint, wenn es offenbart wird. Du wunderst dich, daß ich etwas gesagt habe, das sich selbst widerspricht. Du wirst die Wahrheit hören und zu schmecken bekommen. Ich behaupte nämlich: Wie ich schon vorher von der Einheit, der Unze und dem Petit geredet habe, so muß von allem hinsichtlich des Prinzips von allem geredet werden. Denn das Prinzip von allem ist das, wodurch, worin und aufgrund wessen alles, was durch ein Prinzip begründet werden kann, begründet ist,

est, per quod, in quo et ex quo omne intelligibile intelligitur, et tamen intellectu inattingibile. Est similiter per quod, ex quo et in quo omne fabile fatur, et tamen fatu inattingibile. Sic est per quod, ex quo et in quo omne terminabile terminatur et omne finibile finitur, et tamen termino interminabile et fine infinibile. | Tales facere poteris innumerabiles similes verissimas propositiones et omnia tua oratoria volumina illis implere et alia sine numero illis addere, ut videas quomodo sapientia in altissimis habitat.

9 Altissimum enim est, quod altius esse non potest. Sola infinitas est illa altitudo. Unde sapientia, quam omnes homines, cum natura scire desiderent, cum tanto mentis affectu quaerunt, non aliter scitur quam quod ipsa est omni ¦ scientia altior et *76r* insci|bilis et omni loquela ineffabilis et omni intellectu inintelligibilis et omni mensura immensurabilis et omni fine infinibilis et omni termino interminabilis, et omni proportione improportionabilis et omni comparatione incomparabilis et omni figuratione infigurabilis et omni formatione informabilis et in omni motione immobilis et in omni imaginatione inimaginabilis et in omni sen-

und dennoch ist es durch nichts, was durch ein Prinzip begründet ist, berührbar. Es selbst ist das, wodurch, worin und aufgrund wessen alles Erkennbare erkannt wird, und dennoch ist es durch Erkennen unerreichbar. Es ist in gleicher Weise das, wodurch, aufgrund wessen und worin alles Sagbare gesagt wird, und doch durch Sagen nicht zu erreichen. So ist es das, wodurch, aufgrund wessen und worin alles Bestimmbare bestimmt und alles Begrenzbare begrenzt wird, und das gleichwohl durch eine Bestimmung unbestimmbar und durch eine Grenze unbegrenzbar bleibt. Unzählig viele solcher entsprechender wahrster Aussagen wirst du machen können und alle deine Rednerbücher damit füllen und diesen noch andere ohne Zahl hinzufügen, um zu sehen, daß die Weisheit in den höchsten Höhen wohnt.

9 Das Höchste nämlich ist das, was höher nicht sein kann. Allein die Unendlichkeit ist jene Höhe. Daher weiß man von der Weisheit, die alle Menschen, da sie von Natur aus zu wissen verlangen, mit so großer Begier des Geistes suchen, nichts anderes, als daß sie selbst höher ist als alles Wissen und unwißbar und in aller Rede unaussprechlich und mit allem Erkennen unerkennbar und mit allem Maß unmeßbar und mit aller Grenze unbegrenzbar und mit aller Bestimmung unbestimmbar und in allem Verhältnis nicht in ein Verhältnis zu bringen und in allem Vergleich unvergleichbar und in aller rednerischen Darstellung undarstellbar, in aller bildnerischen Gestaltung ungestaltbar, in aller Bewegung unbewegbar, in aller Vorstellung un-

satione insensibilis et in omni attractione inattractabilis et in omni gustu ingustabilis et in omni auditu inaudibilis et in omni visu invisibilis et in omni apprehensione inapprehensibilis et in omni affirmatione inaffirmabilis et in omni negatione innegabilis et in omni dubitatione indubitabilis et in omni opinione inopinabilis. Et quia in omni eloquio est inexpressibilis, harum locutionum non potest finis cogitari, cum in omni cogitatione sit incogitabilis, per quam, in qua et ex qua omnia. |

10 *Orator:* Haec indubie altiora sunt quam a te audire sperabam. Non cesses, quaeso, me illo ducere, ubi aliquid talium altissimarum theoriarum tecum quam suaviter degustem. Nam video te non satiari semper de illa sapientia loqui. Maxima autem, ut puto, dulcedo hoc agit, quam nisi interno gustu saperes, non te tantum alliceret.

Idiota: Sapientia est, quae sapit, qua nihil dulcius intellectui. Neque censendi sunt quovismodo sapientes, qui verbo tantum et non gustu | loquuntur. Illi autem cum gustu de sapientia loquuntur, qui eam ita sciunt omnia, quod nihil omnium. Per sapientiam enim et ex ipsa et in ipsa est omne internum sapere. Ipsa autem, quia in altissimis habitat, non est omni sapore gustabilis. Ingustabiliter ergo gustatur, cum sit altior omni gustabili, sensibili, rationali et intellectuali. Hoc est autem ingustabiliter et a remotis gustare, quasi sicut odor qui-

vorstellbar und in aller Empfindung unempfindbar, in allem Betasten untastbar und in allem Geschmack unschmeckbar, in allem Hören unhörbar und in allem Sehen unsichtbar, in allem Erfassen unfaßbar, in aller Behauptung unbehauptbar und in aller Verneinung unverneinbar, in allem Zweifel unbezweifelbar und in aller Meinung unmeinbar. Und weil sie in allem Aussprechen unausdrückbar ist, kann man ein Ende dieser Reden nicht denken, da in allem Denken diejenige unausdenkbar ist, durch die, in der und aufgrund deren alles ist.

10 *Redner:* Das ist ohne Zweifel Höheres, als ich von dir zu hören hoffte. Lasse nicht nach, bitte, mich dorthin zu führen, wo ich etwas von solchen höchsten Betrachtungen mit dir in aller Süße kosten kann. Denn ich sehe, daß du nicht genug bekommst davon, in einem fort von jener Weisheit zu reden. Die größte Süßigkeit aber, glaube ich, bewirkt dies. Wenn du sie nicht in einem inneren Schmecken empfändest, würde sie dich nicht so anziehen.

Laie: Weisheit ist, was zu schmecken weiß; nichts ist für das Erkennen süßer als sie. Und man darf nicht die irgendwie für weise halten, die nur mit dem Wort reden und nicht aufgrund von Schmecken. Jene aber reden mit Schmecken von der Weisheit, die wissen, daß sie auf die Weise alles ist, daß sie nichts von allem ist. Durch die Weisheit nämlich und aufgrund von ihr und in ihr ist alles innere Schmecken. Sie selbst aber, weil sie in den höchsten Höhen wohnt, ist in allem Geschmack nicht zu schmecken. Unschmeckbar also wird sie

dam dici potest praegustatio ingustabilis. Sicut enim odor ab odorabili | multiplicatus in alio receptus nos allicit ad cursum, ut in odore unguentorum ad unguentum curratur, ita aeterna et infinita sapientia cum in omnibus reluceat, nos allicit ex quadam praegustatione effectuum, ut mirabili desiderio ad ipsam feramur.

11 Cum enim ipsa sit vita spiritualis intellectus, qui in se habet | quandam connaturatam praegustationem, per quam tanto studio inquirit fontem vitae suae, quem sine praegustatione non quaereret nec se repperisse sciret, si reperiret, hinc ad eam ut ad propriam vitam suam movetur. Et dulce est omni spiritui ad vitae principium quamvis inaccessibile continue ascendere. Nam hoc est continue | felicius vivere: ad vitam ascendere. Et quando eo ducitur vitam suam quaerens, ut eam infinitam vitam videat, tunc tanto plus gaudet, quanto suam vitam immortaliorem conspicit. Et sic evenit, ut inaccessibilitas sive incomprehensibilitas infinitatis vitae suae sit sua desideratissima comprehensio. Quasi si quis haberet thesaurum vitae suae et ad hoc

geschmeckt, weil sie höher ist als alles Schmeckbare, sei es sinnenfällig, verstandesmäßig oder vernunfthaft. Das ist aber unschmeckbar und von ferne schmecken, so wie irgendein Duft ein unschmeckbarer Vorgeschmack genannt werden kann. So wie nämlich der Duft, vom Duftenden ausgesandt, im anderen aufgenommen, uns zum Laufen lockt, so daß man dem Salbenduft folgend zur Salbe läuft, so lockt uns die ewige und unendliche Weisheit, da sie in allem widerstrahlt, aufgrund eines gewissen Vorgeschmacks der Wirkungen, daß wir in wunderbarem Verlangen zu ihr eilen.

11 Sie ist nämlich das geistige Leben der Vernunft, die in sich einen gewissen naturgegebenen Vorgeschmack hat, durch den sie mit so großem Eifer nach der Quelle ihres Lebens sucht. Diese würde sie ohne den Vorgeschmack nicht suchen, und wenn sie sie fände, wüßte sie nicht, daß sie sie gefunden hat. Daher bewegt sich die Vernunft zu der Weisheit hin als zu ihrem eigentlichen Leben. Und süß ist es für jeden Geist, zum Ursprung des Lebens, wiewohl er unzugänglich ist, ständig aufzusteigen. Denn das ist ständig glücklicher leben: zum Leben aufsteigen. Und wenn der, der sein Leben sucht, dahin geführt wird, daß er es als unendliches Leben sieht, dann freut er sich um soviel mehr, wie er sein Leben als unsterblicheres wahrnimmt. Und so geschieht es, daß die Unzugänglichkeit oder Unbegreifbarkeit der Unendlichkeit seines Lebens das ihm ersehnteste Begreifen ist. Wie wenn jemand den Schatz seines Lebens in Be-

pertingeret, quod illum suum thesaurum sciret innumerabilem, imponderabilem et immensurabilem, haec scientia incomprehensibilitatis est gaudiosa et optatissima comprehensio, non quidem ut ad comprehendentem refertur, sed ad ipsum amorosis | simum vitae thesaurum. Quasi si quis amet aliquid quia amabile, hic gaudet in amabili infinitas et inexpressibiles amoris causas reperiri. Et haec est gaudiosissima comprehensio amantis, quando incomprehensibilem amabilitatem amati comprehendit. Nequaquam enim tantum gauderet se amare secundum aliquod comprehensibile amatum sicut quando sibi constat amati amabilitatem esse penitus immensurabilem, infinibilem, interminabilem ac incomprehensibilem. Haec est gaudiosissima incomprehensibilitatis comprehensibilitas.

12 *Orator:* Intelligo forte, tu iudicabis. Nam haec videtur tua intentio, quod principium nostrum, per quod, in quo et ex quo »sumus et mo|vemur«, tunc gustatur a nobis ut principium, medium et finis, 76^{v} quando eius vitalis suavitas ingustabiliter ⁞ gustatur per affectum et incom|prehensibiliter comprehenditur per intellectum ac quod, qui ipsum gustabiliter gustare et comprehensibiliter comprehendere nititur, ille penitus est sine gustu et intellectu.

Idiota: Optime cepisti, orator. Ob hoc qui non aliud sapientiam putant quam id, quod est intel-

sitz hätte und dahin gelangte, zu wissen, daß dieser sein Schatz unzählbar, unwägbar und unmeßbar ist, so ist dieses Wissen von der Unbegreifbarkeit freudenreiches und höchst erwünschtes Begreifen; zwar nicht in bezug auf den Begreifenden, aber in bezug auf den liebreichsten Schatz des Lebens selbst. Wie wenn jemand etwas liebt, weil es liebenswert ist, so freut er sich, daß in dem Liebenswerten unendliche und unausdrückbare Gründe für die Liebe zu finden sind. Und das ist das freudenreichste Begreifen des Liebenden, wenn er den unbegreifbaren Liebenswert des Geliebten begreift. Keineswegs nämlich würde er sich so freuen darüber, etwas zu lieben, das ein nach Maßgabe von etwas Begreifbarem Geliebtes ist, wie wenn ihm feststeht, daß der Liebenswert des Geliebten gänzlich unmeßbar, unendlich, unbestimmbar und unbegeifbar ist. Dies ist die freudenreichste Begreifbarkeit der Unbegreifbarkeit.

12 *Redner:* Vielleicht verstehe ich; du wirst entscheiden: Dies scheint nämlich deine Absicht zu sein, daß unser Ursprung, durch den, in dem und aufgrund dessen wird sind und uns bewegen, dann von uns als Anfang, Mitte und Ende geschmeckt wird, wenn seine lebendige Süße unschmeckbar geschmeckt wird durch das Gefühl und unbegreifbar begriffen wird durch den Verstand, und daß der, der ihn schmeckbar zu schmecken und begreifbar zu begreifen trachtet, gänzlich ohne Geschmack und Verstand ist.

Laie: Sehr gut hast du es erfaßt, Redner. Deshalb sind diejenigen, die nichts anderes für Weis-

lectu comprehensibile, et non aliud felicitatem quam eam, quae attingibilis est per eos, hi longe sunt a vera sapientia aeterna et infinita, sed conversi sunt ad finibilem quandam quietem, ubi putant laetitiam vitae esse, sed non est. Hinc se deceptos comperientes in cruciatu sunt, quia ubi felicitatem | esse putabant, ad quam se omni conatu convertebant, ibi aerumnam reperient et mortem. Sapientia enim infinita est indeficiens vitae | pabulum, de quo aeternaliter vivit spiritus noster, qui non nisi sapientiam et veritatem amare potest.

13 Omnis enim intellectus appetit esse. Suum esse est vivere, suum | vivere est intelligere, suum intelligere est pasci sapientia et veritate. | Unde intellectus, qui non est degustans claram sapientiam, hic est ut | oculus in tenebris. Est enim oculus, sed non videt, quia non est in luce. Et quia caret vita delectabili, quae consistit in videre, tunc est in aerumna et cruciatu, et hoc est mors potius quam vita. Sic intellectus ad omne aliud quam ad aeternae sapientiae pabulum | conversus se extra vitam quasi in tenebris ignorantiae involutum potius mortuum quam vivum reperiet. Et hic est cruciatus interminabilis, intellectuale esse habere et numquam intelligere. Sola enim aeterna sapientia est, in qua omnis intellectus intelligere potest.

14 *Orator:* Pulchra atque rara narras. Nunc age,

heit halten als das, was durch den Verstand zu begreifen ist, und nichts anderes für Glückseligkeit als diejenige, die von ihnen zu erreichen ist, weit von der wahren ewigen und unendlichen Weisheit entfernt. Sie sind vielmehr irgendeiner endlichen Ruhe zugewandt, wo sie meinen, daß dort die Freude des Lebens sei, aber sie ist es nicht. Wenn sie dann in Erfahrung bringen, daß sie sich getäuscht haben, sind sie voller Qual, weil sie dort, wo sie die Glückseligkeit vermuteten, der sie sich mit aller Kraft zuwendeten, Trübsal und Tod finden werden. Die unendliche Weisheit nämlich ist die nicht ausgehende Speise des Lebens, von der unser Geist ewig lebt, der nichts anderes als Weisheit und Wahrheit lieben kann.

13 Denn jeder Geist strebt nach dem Sein. Sein Sein ist Leben, sein Leben ist Erkennen, sein Erkennen ist Gespeistwerden mit Weisheit und Wahrheit. Deshalb ist ein Geist, der nicht die helle Weisheit kostet, wie ein Auge im Dunkeln. Es ist nämlich Auge, aber es sieht nicht, weil es nicht im Licht ist. Und weil es des ergötzlichen Lebens entbehrt, das im Sehen besteht, ist es in Trübsal und Qual, und das ist eher Tod als Leben. So wird sich der Geist, der allem anderen als der Speise der ewigen Weisheit zugewendet ist, außerhalb des Lebens, gleichsam in das Dunkel der Unwissenheit eingehüllt, eher tot als lebendig finden. Und dies ist eine unendliche Qual: geistiges Sein zu haben und niemals zu erkennen. Denn allein die ewige Weisheit ist es, in der jeder Geist erkennen kann.

14 *Redner:* Schönes und Ungewöhnliches tust du

quaeso, quomodo elevari queam ad aliqualem gustum aeternae sapientiae.

Idiota: Aeterna sapientia in omni gustabili gustatur. Ipsa est delectatio in omni delectabili. Ipsa est pulchritudo in omni pulchro. Ipsa est appetitio in omni appetibili. Sic de cunctis desiderabilibus | dicito. Quomodo tunc potest non gustari? Nonne vita est tibi gaudiosa, quando est secundum desiderium tuum?

Orator: Immo nihil plus.

Idiota: Cum ergo hoc desiderium tuum non sit **15**
nisi per aeternam sapientiam, ex qua et in qua est, et haec vita felix, quam desideras, similiter non sit nisi ab eadem aeterna sapientia, in qua est et extra quam esse nequit, hinc non aliud in omni desiderio intellectualis vitae desideras quam sapientiam aeternam, quae est desiderii tui complementum, principium, medium et finis. Si igitur est tibi dulce hoc desiderium immortalis vitae, ut aeternaliter feliciter vivas, | quandam in te praegustationem experiris aeternae sapientiae. Nihil enim penitus incognitum appetitur. Sunt enim poma apud Indos, quorum praegustationem cum non habeamus, ea non appetimus. Sed cum sine nutrimento vivere non possimus, appetimus nutrimentum. Habemus autem nutrimenti quandam praegustationem, ut vivamus sensibiliter. Et hinc puer quandam habet

kund. Nun erkläre bitte, wie ich mich zu derlei Geschmack der ewigen Weisheit erheben kann.

Laie: Die ewige Weisheit wird in allem geschmeckt, was man schmecken kann. Sie ist die Freude in allem, das erfreut. Sie ist die Schönheit in allem Schönen. Sie ist das Erstreben in allem Erstrebbaren. Und so sag von allen Dingen, nach denen man verlangen kann. Wie kann sie dann nicht geschmeckt werden? Ist das Leben für dich nicht freudvoll, wenn es deinem Verlangen entspricht?

Redner: Freilich, nichts mehr als das.

15 *Laie:* Da also dieses dein Verlangen nur durch die ewige Weisheit besteht, aus der und in der es ist, und dieses glückliche Leben, nach dem du verlangst, gleicherweise nur von der ewigen Weisheit kommt, in der es ist und außerhalb deren es nicht sein kann, deshalb ersehnst du in aller Sehnsucht des geistigen Lebens nichts anderes als die ewige Weisheit, die deiner Sehnsucht Erfüllung, Ursprung, Mitte und Ziel ist. Wenn also dieses Verlangen nach dem unvergänglichen Leben, daß du ewig selig leben mögest, dir süß schmeckt, dann erfährst du in dir einen gewissen Vorgeschmack der ewigen Weisheit. Denn nichts, was völlig unbekannt ist, sucht man zu erlangen. So gibt es bei den Indern Früchte, von denen wir keinen Vorgeschmack haben, und deshalb verlangt uns nicht nach ihnen. Aber weil wir ohne Nahrung nicht leben können, suchen wir Nahrung zu erlangen. Wir haben aber einen gewissen Vorgeschmack von der Nahrung, um sinnlich zu leben. Darum hat ein Kind einen gewissen Vorgeschmack von Milch in

lactis praegustationem in sua natura, quare dum esurit ad lac movetur.

16 Ex quibus enim sumus, ex illis nutrimur. Sic intellectus habet | vitam suam ab aeterna sapientia et huius habet aliqualem praegustationem. Unde in omni pascentia, quae sibi ut vivat necessaria est, non movetur, nisi ut inde pascatur, a quo habet hoc intellectuale esse. Si igitur in omni desiderio vitae intellectualis attenderes, a quo est intellectus, per quod movetur et ad quod, in te comperires dulcedinem sapientiae aeternae illam esse, quae | tibi facit desiderium tuum ita dulce et delectabile, ut inenarrabili affectu feraris ad eius comprehensionem tamquam ad immortalitatem vitae tuae. Quasi ad ferrum et magnetem attendas: Habet enim ferrum in magnete quoddam sui effluxus principium, et dum magnes per sui praesentiam excitat ferrum grave et ponderosum, ferrum mirabili desiderio fertur etiam supra motum naturae, quo secundum gravitatem deorsum tendere debet, et sursum mo-
77r vetur se suo principio uniendo. Nisi enim ¦ in ferro esset quaedam praegustatio naturalis ipsius magnetis, non moveretur plus ad magnetem quam ad alium lapidem. Et nisi in lapide esset maior inclinatio ad ferrum quam ad cuprum, non esset illa attractio.

17 Habet igitur spiritus noster intellectualis ab

seiner Natur, weshalb es zur Milch strebt, wenn es hungrig ist.

16 Denn woraus wir sind, davon ernähren wir uns. So hat der Geist sein Leben von der ewigen Weisheit und hat von dieser irgendeinen Vorgeschmack. Daher strebt er in jeder Speisung, die für ihn, um zu leben, notwendig ist, nur danach, daß er von dort her gespeist werde, von wo er dieses geistige Sein hat. Wenn du also in allem Verlangen des geistigen Lebens darauf achtetest, woher der Geist ist, wodurch er bewegt wird und wohin, dann würdest du in dir erfahren, daß die Süße der ewigen Weisheit es ist, die dir dein Verlangen so süß und ergötzlich macht, daß du in unsäglicher Begier dazu gebracht wirst, sie als dein unvergängliches Leben zu ergreifen. Es ist so, wie wenn du an Eisen und einen Magneten denkst: Das Eisen hat nämlich im Magneten sozusagen das Prinzip seines Ausströmens, und während der Magnet durch seine Gegenwart ein schweres und gewichtiges Eisen erregt, wird das Eisen in wunderbarem Verlangen bewegt, sogar über die Bewegung der Natur hinaus, in der es dem Gewicht entsprechend nach unten streben muß, und bewegt sich aufwärts und vereinigt sich mit seinem Ursprung. Wäre nämlich nicht im Eisen irgendein natürlicher Vorgeschmack des Magneten, dann würde es sich zum Magneten nicht mehr als zu einem anderen Stein hinbewegen. Und wenn nicht im Stein eine größere Hinneigung zu Eisen wäre als zu Kupfer, dann gäbe es jene Anziehung nicht.

17 Es hat also unser erkennender Geist von der ewi-

aeterna sapientia princi|pium sic intellectualiter essendi, quod esse est conformius sapientiae quam aliud non intellectuale. Hinc irradiatio seu immissio in sanctam animam est motus desideriosus in excitatione. Qui enim quaerit | motu intellectuali sapientiam, hic interne tactus ad praegustatam dulcedinem sui oblitus rapitur in corpore quasi extra corpus. Omnium sensibilium pondus eum tenere nequit, quousque se uniat attrahenti sapientiae. Ex stupida admiratione sensum relinquens insanire facit animam, ut cuncta praeter eam penitus nihili faciat. | Et illis dulce est hunc mundum et hanc vitam posse linquere, ut expeditius ferri possint in immortalitatis sapientiam. Haec praegustatio facit sanctis omne apparens delectabile abominabile et omnia corporalia tormenta propter ipsam citius adipiscendam aequissimo animo ferre. Haec nos instruit hunc nostrum spiritum ad ipsam conversum numquam deficere posse. Si enim hoc corpus nostrum spiritum omni sensibili ligamento tenere nequit, quin avidissime ad ipsam corporeo dimisso officio feratur, nequaquam deficiente corpore deficere potest.

Haec enim eius assimilatio, quae spiritui nostro **18**
naturaliter inest, | per quam non quietatur nisi in

gen Weisheit her den Ursprung solchen geistigen Seins. Dieses Sein ist der Weisheit gleichförmiger als anderes, nicht geistiges Sein. Daher ist das Hineinstrahlen und Sichergießen in die heilige Seele im Erwecken eine sehnsuchtsvolle Bewegung. Wer nämlich in geistiger Bewegung die Weisheit sucht, der wird, innerlich berührt und seiner selbst vergessen, im Leib gleichsam außerhalb des Leibes, zu der im voraus geschmeckten Süße entrückt. Aller sinnlichen Dinge Gewicht vermag nicht, ihn zu halten, bis er sich mit der ihn anziehenden Weisheit vereint. In außer sich gebrachter Verwunderung läßt er die Sinne hinter sich und läßt die Seele unsinnig werden, so daß er alles außer ihr (der Weisheit) gänzlich für nichts achtet. Und für jene ist es süß, diese Welt und dieses Leben lassen zu können, damit sie ungehinderter in die Weisheit der Unsterblichkeit sich forttragen lassen könnten. Dieser Vorgeschmack macht den Heiligen alles erscheinend Vergnügliche verabscheuenswürdig und läßt sie, um jene schneller zu erreichen, alle körperlichen Qualen mit höchstem Gleichmut ertragen. Er lehrt uns, daß dieser unser Geist, der der Weisheit zugewandt ist, niemals vergehen kann. Wenn nämlich dieser unser Leib den Geist mit allen sinnlichen Banden nicht halten kann, seinen Dienst am Leib aufzugeben und in höchster Begier zu ihr sich forttragen zu lassen, dann kann er niemals mit dem Vergehen des Leibes vergehen.

18 Diese Angleichung nämlich an sie, die unserem Geist von Natur aus innewohnt, durch die er nicht zur Ruhe kommt, es sei denn in der Weisheit

ipsa sapientia, est quasi viva imago eius. Non enim quietatur imago nisi in eo, cuius est imago, a quo habet principium, medium et finem. Viva autem imago per vitam ex se motum exserit ad exemplar, in quo solum quiescit. | Vita enim imaginis non potest in se quiescere, cum sit vita vitae veritatis et non sua. Hinc movetur ad exemplar ut ad veritatem sui esse. Si igitur exemplar est aeternum et imago habet vitam, in qua | praegustat suum exemplar et sic desideriose ad ipsum movetur, et cum motus ille vitalis non possit quiescere nisi in infinita vita, quae est aeterna sapientia, hinc non potest cessare spiritualis ille motus, qui numquam infinitam vitam infinite attingit. Semper enim gaudiosissimo desiderio movetur, ut attingat quod numquam de delectabili | tate attactus fastiditur. Est enim sapientia cibus saporosissimus, qui satiando desiderium sumendi non diminuit, ut in aeterna cibatione numquam cesset delectari.

Orator: Indubie te optime dixisse teneo. Sed **19**
valde referre video inter gustum sapientiae et ea, quae de gustu proferri possunt.

selbst, ist gewissermaßen deren lebendiges Bild. Ein Bild nämlich kommt nicht zur Ruhe, es sei denn in dem, dessen Bild es ist, von dem es Ursprung, Mitte und Ziel hat. Ein lebendiges Bild aber bringt durch das Leben aus sich eine Bewegung hervor zum Urbild hin, in dem allein es zur Ruhe kommt. Das Leben des Bildes nämlich kann nicht in sich zur Ruhe kommen, da es das Leben des Lebens der Wahrheit ist und nicht sein eigenes. Daher bewegt es sich zum Urbild als der Wahrheit seines Seins hin. Wenn also das Urbild ewig ist und das Abbild Leben hat, in dem es sein Urbild im voraus schmeckt und so voller Sehnsucht sich zu ihm hinbewegt, und weil diese dem Leben zugehörige Bewegung nicht zur Ruhe kommen kann, außer im unendlichen Leben, welches die ewige Weisheit ist, deshalb kann diese dem Geist zugehörige Bewegung nicht aufhören, welche das unendliche Leben niemals unendlich berührt. Immer nämlich bewegt sie sich in freudigster Sehnsucht, um das zu berühren, dessen sie niemals überdrüssig wird, wenn sie von der Ergötzlichkeit berührt worden ist. Die Weisheit nämlich ist die schmackhafteste Speise, die im Sättigen den Wunsch, mehr zu nehmen, nicht mindert, so daß sie (die Bewegung) in der ewigen Speisung niemals aufhört, sich zu ergötzen.

19 *Redner:* Ich begreife, daß du zweifellos sehr gut gesprochen hast. Aber ich sehe, daß ein großer Unterschied besteht zwischen dem Geschmack der Weisheit und dem, was über den Geschmack vorgebracht werden kann.

Idiota: Bene dicis, et placet a te hoc verbum audisse. Sicut enim omnis sapientia de gustu rei numquam gustatae vacua et sterilis est, quousque sensus gustus attingat, ita de hac sapientia, quam nemo gustat per auditum, sed solum ille, qui eam accipit in interno gustu. Ille perhibet testi|monium non de his, quae audivit, sed in se ipso experimentaliter gustavit. Scire multas amoris descriptiones, quas sancti nobis reliquerunt, sine amoris gustu vacuitas quaedam est. Quapropter ad quaerentem aeternam sapientiam non sufficit scire ea, quae de ipsa leguntur, sed necesse est, quod postquam intellectu repperit ubi est, quod eam suam faciat. Quasi qui invenit agrum, in quo est thesaurus, non potest gaudere de thesauro in alieno agro non suo exsistente; quare vendit omnia et emit agrum illum, ut in suo agro habeat thesaurum. |

Unde oportet omnia sua vendere et dare. Non **20** vult enim aeterna sapientia haberi nisi ibi, ubi habens nihil de suo tenuit, ut eam haberet. Id autem, quod de nostro habemus, vitia sunt, de aeterna vero sapientia non nisi bona. Quapropter spiritus sapientiae non habitat »in corpore subdito peccatis« neque »in malivola anima«, sed in agro suo puro et sapientiali munda imagine quasi »in templo sancto

Laie: Schön sagst du das. Und es gefällt mir, daß ich dieses Wort von dir gehört habe. Wie nämlich alle Weisheit über den Geschmack eines Dinges, das man nie geschmeckt hat, leer und unergiebig ist, bis der Geschmackssinn es berührt, so ist es mit dieser Weisheit, die niemand durch Hören schmeckt, sondern allein der, der sie in innerem Schmecken aufnimmt. Dieser legt Zeugnis ab, nicht von dem, was er gehört hat, sondern was er in sich selbst erfahrungsmäßig geschmeckt hat. Viele Beschreibungen der Liebe zu kennen, die die Heiligen uns hinterlassen haben, ohne das Schmecken der Liebe, ist eine Art Leere. Deshalb genügt es für den, der die ewige Weisheit sucht, nicht, das zu wissen, was man über sie lesen kann, sondern es ist notwendig, daß er, nachdem er mit Hilfe der Vernunft gefunden hat, wo sie ist, sie zu der seinen macht; gleichwie jemand, der einen Acker entdeckt hat, in dem ein Schatz liegt, sich nicht über den Schatz in einem fremden, nicht ihm gehörenden Acker freuen kann; deshalb verkauft er alles und kauft jenen Acker, um den Schatz in seinem Acker zu haben.

20 Daher muß man alles Eigene verkaufen und hingeben. Die ewige Weisheit will sich nämlich nur dort besitzen lassen, wo der, der sie hat, nichts von seinem Eigenen behalten hat, damit er sie habe. Das aber, was wir aus uns haben, sind die Laster; von der ewigen Weisheit jedoch haben wir nur Güter. Deshalb wohnt der Geist der Weisheit nicht in einem Leib, der den Sünden untertan ist, noch in einer Seele, die das Böse will, sondern in seinem

suo«. Ubi enim aeter|na habitat sapientia, ibi est ager dominicus fructum ferens immortalem. Est enim ager virtutum, quem sapientia colit, ex quo nascuntur fructus spiritus, qui sunt iustitia, pax,
77v forti | tudo, temperantia, castitas, patientia et ceteri tales.

Orator: Abunde haec explanasti. Sed nunc te oro: **21**
Nonne deus est omnium principium?

Idiota: Quis haesitat?

Orator: Estne aliud sapientia aeterna quam deus?

Idiota: Absit quod aliud, sed est deus.

Orator: Nonne deus verbo cuncta formavit?

Idiota: Formavit.

Orator: Est verbum deus?

Idiota: Est.

Orator: Sic est et sapientia?

Idiota: Non est aliud dicere deum omnia in sa- **22**
pientia fecisse quam | deum omnia verbo creasse. Considera autem, quomodo omne, quod est, potuit esse et potuit sic esse et est. Deus autem, qui tradit sibi actualitatem essendi, est, apud quem est omnipotentia, per quam res de non-esse ad esse potuit produci. Et est deus pater, qui dici potest unitas |

reinen Acker und in einem reinen Bild der Weisheit gleichsam als in seinem heiligen Tempel. Wo nämlich die ewige Weisheit wohnt, dort ist dem Herrn gehörender Acker, der unvergängliche Frucht trägt. Es ist nämlich ein Acker der Tugenden, den die Weisheit bebaut. Aus ihm sprießen die Früchte des Geistes, welche sind Gerechtigkeit, Friede, Tapferkeit, Mäßigkeit, Keuschheit, Geduld und die übrigen von dieser Art.

21 *Redner:* Das hast du vollauf erklärt. Aber nun bitte ich dich: ist nicht Gott der Ursprung von allem?

Laie: Wer zweifelt daran?

Redner: Ist die ewige Weisheit etwas anderes als Gott?

Laie: Es sei fern, daß sie etwas anderes ist, sondern sie ist Gott.

Redner: Hat nicht Gott durch das Wort alles gebildet?

Laie: Ja.

Redner: Ist das Wort Gott?

Laie: Ja.

Redner: So ist es auch die Weisheit?

22 *Laie:* Es heißt nichts anderes, zu sagen, daß Gott alles in der Weisheit gemacht hat, als daß Gott alles durch das Wort geschaffen hat. Betrachte aber, daß alles, was ist, hat sein können, und hat so sein können und ist. Gott aber, der ihm die Wirklichkeit des Seins verleiht, ist der, bei dem die Allmacht liegt, durch die ein Ding vom Nicht-Sein ins Sein hat hervorgebracht werden können. Und er ist Gott der Vater, der die Einheit oder die Seinsheit

seu entitas, quia necessitat esse, quod erat nihil, ex omnipotentia sua. Deus etiam tradit sibi tale esse, ut sit hoc, puta caelum, et non aliud, neque plus neque minus. Et hic deus est verbum, sapientia seu filius patris et potest dici unitatis seu entitatis aequalitas. Est deinde esse et | sic esse unitum, ut sit. Et hoc habet a deo, qui est conexio omnia conectens, et est deus spiritus sanctus. Spiritus enim est uniens et nectens in nobis et universo omnia. Unde sicut unitatem nihil gignit, sed est primum principium nequaquam principiatum, sic patrem nihil gignit, qui est aeternus. Aequalitas autem ab unitate procedit, sic filius a patre. Et nexus procedit ab unitate et sua aequalitate. Unde omnis res, ut habeat esse et tale esse, in quo est, opus habet unitrino principio, deo scilicet trino et uno. De quo longior sermo fieri posset, si tempus concederet. |

Sapientia igitur, quae est ipsa essendi aequalitas, **23**
verbum seu ratio rerum est. Est enim ut infinita intellectualis forma, forma enim dat formatum esse rei. Unde infinita forma est actualitas omnium formabilium formarum ac omnium talium praecisissima aequalitas. Sicut enim infinitus circulus, si foret, omnium figurarum figurabilium verum ex-

genannt werden kann, weil er das, was nichts war, aus seiner Allmacht heraus zu sein zwingt. Gott verleiht ihm auch das so beschaffene Sein, so daß es dies Bestimmte ist, zum Beispiel der Himmel, und nicht etwas anderes, und nicht mehr und nicht weniger. Und Gott, der dies wirkt, ist das Wort, die Weisheit oder der Sohn des Vaters und kann die Gleichheit der Einheit oder der Seinsheit genannt werden. Es ist sodann das Sein und das so beschaffene Sein vereinigt, damit es sei. Und das hat es von Gott, der die Verknüpfung ist, die alles verknüpft, und das ist Gott der Heilige Geist. Der Geist nämlich ist es, der in uns und im All alles vereint und verknüpft. Wie daher nichts die Einheit zeugt, sie vielmehr der erste Ursprung ist, der in keiner Weise begründet ist, so zeugt nichts den Vater; er ist ewig. Die Gleichheit aber geht von der Einheit aus; so der Sohn vom Vater. Und die Verknüpfung geht von der Einheit und ihrer Gleichheit aus. So bedarf jedes Ding, um das Sein zu haben und das so beschaffene Sein, in dem es ist, eines dreieinen Ursprungs, nämlich Gottes, der dreifaltig und einer ist. Darüber könnte man länger reden, wenn die Zeit es zuließe.

23 Die Weisheit also, die die Gleichheit des Seins selbst ist, ist das Wort oder der Wesensgrund der Dinge. Sie ist nämlich wie eine unendliche geistige Gestalt; die Gestalt nämlich gibt einem Ding das Gestaltetsein. Daher ist die unendliche Gestalt die Wirklichkeit aller gestaltbaren Gestalten und aller solcher genaueste Gleichheit. Wie nämlich der unendliche Kreis, wenn es ihn gäbe, das wahre Ur-

emplar foret et cuiuslibet figurae essendi aequalitas – foret | enim triangulus, hexagonus, decagonus et ita deinceps – et omnium mensura adaequatissima licet simplicissima figura, sic infinita sapientia est simplicitas omnes formas complicans et omnium adaequatissima mensura. Quasi in perfectissima omnipotentis artis idea omne per artem formabile simplicissima forma ars ipsa exsistat, ita quod, si respicis ad humanam formam, reperis formam artis divinae eius praecisissimum exemplar, quasi aliud penitus nihil foret quam humanae | formae exemplar. Sic ad formam caeli si respicis et te ad formam artis divinae convertis, penitus ipsam non aliud concipere poteris quam huius formae caeli exemplar, et ita de omnibus formis formatis vel formabilibus, ut ars seu sapientia dei patris sit simplicissima forma et tamen infinitarum formabilium formarum quamquam variabilium unicum aequalissimum exemplar.

O quam admiranda est illa forma, cuius infinitatem simplicissimam omnes formabiles formae nequeunt explicare! Et qui se elevat altissimo intellectu super omnem oppositionem, ille solum hoc verissimum intuetur. Ac si quis attenderet vim naturalem, quae est in unitate, illam vim videret, si **24**

bild aller darstellbaren Figuren wäre und die Gleichheit des Seins einer jeden Figur – er wäre nämlich Dreieck, Sechseck, Zehneck und so fort – und von allem das gleichkommendste Maß, wiewohl die einfachste Figur, so ist die unendliche Weisheit die alle Gestalten einfaltende Einfachheit und gleichkommendstes Maß von allem. Es ist so, wie wenn in der vollkommensten Idee der Kunst des Allmächtigen jedes durch die Kunst Gestaltbare als einfachste Gestalt als die Kunst selbst existiert, so daß, wenn du auf die menschliche Gestalt blickst, du findest, daß die Gestalt der göttlichen Kunst ihr genauestes Urbild ist, wie wenn sie von Grund auf nichts anderes wäre als das Urbild der menschlichen Gestalt. Ebenso, wenn du die Gestalt des Himmels betrachtest und dich der Gestalt der göttlichen Kunst zuwendest, dann wirst du von Grund auf in ihr nichts anderes erblicken können als das Urbild dieser Gestalt des Himmels. Und so ist es mit allen Gestalten, den gestalteten und den gestaltbaren, so daß die Kunst oder Weisheit Gottes des Vaters die einfachste Gestalt und dennoch der unendlichen und dazu mannigfaltigen gestaltbaren Gestalten einziges und gleichstes Urbild ist.

24 O wie wunderbar ist jene Gestalt, deren einfachste Unendlichkeit alle gestaltbaren Gestalten nicht ausfalten können! Und wer sich in höchster Erkenntnis über jeden Gegensatz erhebt, der schaut allein dieses Wahrste. Und wenn einer die natürliche Kraft betrachtete, die in der Einheit ist, so würde er diese Kraft, wenn er wahrnähme, daß sie wirklich ist, als eine Art gestalthaftes Sein se-

actu eam esse conciperet, quasi esse quoddam | formale solo intellectu de longe visibile. Et quia foret vis unitatis simplicissima, ipsa foret quaedam simplicissima infinitas. Deinde si hic ad formam numerorum se converteret dualitatem aut denaritatem considerando et reverteretur tunc ad vim actualem unitatis, ipse videret formam illam, quae ponitur esse vis actualis unitatis, praecisissimum exemplar dualitatis, sic etiam denaritatis et alterius cuiuscumque numeri numerabilis. Hoc enim ageret infinitas formae illius, quae vis dicitur unitatis, quod, dum ad dualitatem respicis, forma illa non potest esse nec maior nec minor forma dualitatis, cuius est praecisissimum exemplar.

78r Sic vides unicam et simplicissimam | dei sapientiam, quia est infinita, esse omnium formarum formabilium verissimum exemplar. Et hoc est suum attingere, quo omnia attingit, omnia finit, omnia disponit. Est enim in omnibus formis ut veritas in imagine et exemplar in exemplato et forma in figura et praecisio in assimilatione. | Et licet se omnibus communicet liberalissime, cum sit infinite bona, tamen a nullo capi potest uti est. Identitas enim infinita non potest in alio recipi, cum in alio aliter recipiatur. Et cum non possit in aliquo nisi aliter recipi, tunc recipitur meliori modo quo potest. Sed immultiplicabilis infinitas in varia recep- **25**

hen, das allein der höchsten Erkenntnis von ferne sichtbar ist. Und weil die Kraft der Einheit ganz einfach wäre, würde sie gewissermaßen einfachste Unendlichkeit sein. Wenn sich darauf der Betreffende der Gestalt der Zahlen zuwendete, indem er die Zweiheit oder die Zehnheit betrachtet, und kehrte dann zu der wirklichen Kraft der Einheit zurück, so würde er jene Gestalt, von der gilt, daß sie die wirkliche Kraft der Einheit ist, als das genaueste Urbild der Zweiheit, ebenso der Zehnheit und einer jeden anderen zählbaren Zahl sehen. Das würde nämlich die Unendlichkeit jener Gestalt, die die Kraft der Einheit heißt, bewirken, daß, während du auf die Zweiheit blickst, jene Gestalt nicht größer und nicht kleiner sein kann als die Gestalt der Zweiheit, deren genauestes Urbild sie ist.

25 So siehst du, daß die einzige und einfachste Weisheit Gottes, da sie unendlich ist, das wahrste Urbild aller gestaltbaren Gestalten ist. Und das ist ihr Berühren, mit dem sie alles berührt, alles begrenzt, alles ordnet. Sie ist nämlich in allen Gestalten als die Wahrheit im Bild und das Urbild im Abbild und die Gestalt in der Figur und die Genauigkeit in der Angleichung. Und obwohl sie sich allen aufs freigebigste mitteilt, da sie unendlich gut ist, kann sie dennoch von keinem gefaßt werden, wie sie ist. Die unendliche Selbigkeit nämlich kann nicht in einem anderen aufgenommen werden, da sie in jedem anderen anders aufgenommen wird. Und da sie in etwas nur anders aufgenommen werden kann, so wird sie so gut als möglich aufgenommen. Aber die nicht zu vervielfältigende Unendlichkeit

tione melius explicatur, | magna enim diversitas immultiplicabilitatem melius exprimit. Ex quo evenit, ut sapientia in variis formis varie recepta hoc efficiat, ut quaelibet ad identitatem vocata modo quo potest sapientiam participet, ut quaedam eandem participent in quodam spiritu valde distanti a prima forma, qui vix esse elementale tribuit, alia in magis formato, qui esse minerale tribuit, alia adhuc in nobiliori gradu, qui vitam praebet vegetabilem, adhuc alia in altiori, qui sensibilem, post hoc qui imaginabilem, deinde qui rationalem, post qui intellectualem.

26 Et hic gradus est altissimus, proxima scilicet sapientiae imago. | Et hic solus est gradus habens aptitudinem se ad sapientiae gustum elevandi, quia in illis intellectualibus naturis imago sapientiae est viva vita intellectuali, cuius vitae vis est ex se vitalem motum exserere. Qui motus est per intelligere ad proprium suum obiectum, quod est veritas absoluta, quae est aeterna sapientia, pergere. Pergere autem illud cum sit intelligere, tunc est et gustare intellec|tualiter. Apprehendere enim per intellectum est quiditatem quadam degustatione gratissima modo quo potest attingere. Sicut enim

wird in der mannigfaltigen Aufnahme besser entfaltet, die große Verschiedenheit nämlich drückt die Unvervielfältigbarkeit besser aus. Hieraus ergibt sich, daß die in mannigfaltigen Gestalten in mannigfaltiger Weise aufgenommene Weisheit bewirkt, daß jede zur Selbigkeit gerufene Gestalt so, wie sie kann, an der Weisheit teilhat: Einige nehmen an ihr teil in einem von der ersten Gestalt sehr entfernten Geist, der kaum das urstoffliche Sein verleiht, eine andere in einem mehr gestalteten Geist, der das minerale Sein verleiht, eine andere auf einer höheren noch edleren Stufe, die pflanzliches Leben gewährt, noch eine andere auf höherer, die das sinnliche Leben, danach auf der Stufe, die das Vorstellungsleben, dann die das Verstandes-, zuletzt, die das Vernunftleben gibt.

26 Und diese Stufe ist die höchste, nämlich das der Weisheit nächste Abbild. Und dies allein ist die Stufe, die die Fähigkeit enthält, sich zum Schmecken der Weisheit zu erheben, weil in diesen vernunfthaften Naturen das Bild der Weisheit lebendig ist in vernunfthaftem Leben, dem die Kraft eigentümlich ist, aus sich heraus eine lebendige Bewegung hervorzubringen. Diese Bewegung besteht darin, durch Erkennen zu ihrem eigentlichen Gegenstand, der absoluten Wahrheit, die die ewige Weisheit ist, vorzudringen. Weil jenes Vordringen aber Erkennen ist, ist es dann auch Schmecken mit der Vernunft. Etwas durch die Vernunft auffassen ist nämlich: in einem höchst angenehmen Vorkosten die Wesenheit in der Weise, wie es möglich ist, berühren. Wie nämlich mit dem sinnlichen Ge-

sensibili gustu, qui non pertingit ad rei quiditatem, in extrinsecis a quiditate quaedam grata suavitas per sensum percipitur, sic per intellectum intellectualis suavitas in quiditate degustatur, quae est imago suavitatis sapientiae aeternae, quae est quiditatum quiditas, et est comparatio suavitatis unius ad aliam improportionalis.

Sic nunc pro hoc brevi tempore haec sic dicta **27**
sufficiant, ut scias sapientiam esse non in arte oratoria aut in voluminibus magnis, sed in separatione ab istis sensibilibus ac in conversione ad simplicissi|mam et infinitam formam et illam recipere in templo purgato ab omni vitio et fervido amore ei inhaerere, quousque gustare eam queas et videre, quam suavis sit illa, quae est omnis suavitas. Qua degustata vilescent tibi omnia, quae nunc tibi magna videntur, et humiliaberis, ut nihil arrogantiae in te remaneat neque aliud quodcumque vitium, quoniam castissimo et purissimo corde semel degu- | statae sapientiae indissolubiliter adhaerebis, etiam potius hunc mundum et cuncta, quae non sunt ipsa, quam ipsam deserendo. Et cum indicibili laetitia vives, morieris et post mortem in ipsa amorosissimo amplexu aeternaliter requiesces, quod tibi et mihi concedat ipsa dei sapientia semper benedicta. Amen. |

schmack, der nicht zur Wesenheit eines Dinges vordringt, in dem, was außerhalb der Wesenheit liegt, ein gewisser angenehmer Wohlgeschmack durch den Sinn aufgenommen wird, so wird durch die Vernunft der geistige Wohlgeschmack in der Wesenheit gekostet, der das Abbild des Wohlgeschmacks der ewigen Weisheit ist, die die Wesenheit der Wesenheiten ist, doch ein Vergleich des einen Wohlgeschmacks mit dem anderen ist unverhältnismäßig.

27 So möge dir für diesen Augenblick nun dies so Gesagte genügen, damit du weißt, daß die Weisheit nicht in der Redekunst oder in dicken Büchern liegt, sondern in der Abtrennung von diesen Sinnendingen und in der Hinwendung zu der einfachsten unendlichen Gestalt und darin, sie aufzunehmen in einem von allem Laster gereinigten Tempel und mit brennender Liebe ihr anzuhangen, bis du sie schmecken kannst und sehen, wie köstlich die ist, die alle Köstlichkeit ist. Hast du sie gekostet, so wird dir alles gering, was dir jetzt groß erscheint, und du wirst demütig werden, so daß nichts von Hochmut in dir zurückbleibt noch irgendein anderes Laster, weil du mit keuschestem und reinstem Herzen der einmal gekosteten Weisheit unauflösbar anhängen wirst, sogar dadurch, daß du lieber diese Welt verläßt und alles, was nicht die Wahrheit selbst ist, als jene. Und mit unaussprechlicher Freude wirst du leben, sterben und nach dem Tod in liebreichster Umarmung ewig in ihr ruhen. Dies möge dir und mir Gottes immerdar gepriesene Weisheit selbst verleihen. Amen.

fol. 78v

IDIOTA DE SAPIENTIA 28

Liber secundus

Accidit oratorem Romanum post verba, quae audivit ab idiota de sapientia, in summa admiratione suspensum adisse ipsum idiotam, quem circa templum Aeternitatis latitantem inveniens sic allocutus est:

O vir desideratissime, adiuva impotentiam meam, ut in difficilibus, quae mentem transcendunt, quadam facilitate depascar, alioquin parum proderit tot altas a te audisse theorias.

Idiota: Nulla est facilior difficultas quam divina speculari, ubi delectatio coincidit in difficultate. Sed quid optas dicito. |

Orator: Ut mihi dicas: Ex quo deus est maior quam concipi possit, quomodo de ipso facere debeam conceptum?

Idiota: Sicut de conceptu.

Orator: Explana.

Idiota: Audisti, quomodo in omni conceptu concipitur inconceptibilis. Accedit igitur conceptus de conceptu ad inconceptibilem.

Orator: Quomodo tunc faciam praecisiorem conceptum? **29**

28 DER LAIE ÜBER DIE WEISHEIT

Zweites Buch

Es geschah, daß der römische Rhetor nach den Worten, die er von dem Laien über die Weisheit gehört hatte, in höchster Bewunderung gespannt denselben aufsuchte. Er fand ihn in der Nähe des Tempels der Ewigkeit, wo er sich verborgen hielt, und sprach ihn so an:

O ersehntester Mann! Hilf meinem Unvermögen, daß ich in den schwierigen Dingen, die den Geist übersteigen, mit einer gewissen Leichtigkeit mich nähre; andernfalls wird es wenig nützen, so viele hohe Betrachtungen von dir gehört zu haben.

Laie: Es gibt keine leichtere Schwierigkeit als die göttlichen Dinge zu betrachten, wo das Ergötzen mit der Schwierigkeit zusammenfällt. Doch sag, was du wünschst.

Redner: Daß du mir sagst, da doch Gott größer ist als daß er begriffen werden könnte, wie ich von ihm einen Begriff bilden soll.

Laie: Wie vom Begriff.

Redner: Erkläre das.

Laie: Du hast gehört, daß in jedem Begriff der Unbegreifbare begriffen wird. Es nähert sich also der Begriff vom Begriff dem Unbegreifbaren.

29 *Redner:* Wie soll ich dann einen genaueren Begriff bilden?

Idiota: Concipe praecisionem, nam deus est ipsa absoluta praecisio.

Orator: Quid tunc per me agendum est, quando de deo rectum conceptum facere propono?

Idiota: Tunc te ad rectitudinem ipsam convertas.

Orator: Et quando verum de deo conceptum facere nitor, quid tunc agendum? |

Idiota: Ad veritatem ipsam inspicias.

Orator: Quid, si iustum conceptum facere proposuero?

Idiota: Ad iustitiam te convertas.

Orator: Et quando quaesivero, quomodo bonum attingam de deo conceptum, quid tunc agam?

Idiota: Ad bonitatem mentis oculos attolle.

Orator: Miror, quo me in omnibus remittas.

Idiota: Vide, quam facilis est difficultas in divinis, ut inquisitori semper se ipsam offerat modo, quo inquiritur.

Orator: Nihil indubie mirabilius.

Idiota: Omnis quaestio de deo praesupponit quaesitum, et id est respondendum, quod in omni quaestione de deo quaesitio praesupponit, nam deus in omni terminorum significatione significatur, licet sit insignificabilis.

Orator: Declara quaeso, quia nimis admiror, ut vix quae dicis aure percipiam. |

Laie: Bilde den Begriff Genauigkeit, denn Gott ist die absolute Genauigkeit selbst.

Redner: Was muß ich dann tun, wenn ich von Gott einen richtigen Begriff bilden will?

Laie: Dann mußt du dich der Richtigkeit selbst zuwenden.

Redner: Und wenn ich mich bemühe, einen wahren Begriff von Gott zu bilden, was ist dann zu tun?

Laie: Auf die Wahrheit selbst mußt du sehen.

Redner: Was, wenn ich mir vorgenommen habe, einen gerechten Begriff zu bilden?

Laie: Zur Gerechtigkeit mußt du dich hinwenden.

Redner: Und wenn ich gesucht habe, wie ich einen guten Begriff von Gott erreiche, was soll ich dann tun?

Laie: Zur Gutheit erhebe die Augen des Geistes.

Redner: Ich staune, wohin du mich in allem zurückverweist.

Laie: Sieh, wie leicht die Schwierigkeit in den göttlichen Dingen ist, so daß sie sich dem Fragenden immer selbst darbietet in der Weise, in der gefragt wird.

Redner: Nichts, zweifellos, ist wunderbarer.

Laie: Jede Frage über Gott setzt das Gefragte voraus, und man muß das zur Antwort geben, was in jeder Frage über Gott die Fragestellung voraussetzt. Denn Gott wird in jeder Bezeichnung von Begriffen bezeichnet, obwohl er unbezeichenbar ist.

30 *Redner:* Erkläre das bitte, weil ich mich zu sehr verwundere, so daß ich das, was du sagst, kaum mit dem Ohr aufnehme.

Idiota: Nonne quaestio an sit praesupponit entitatem?

Orator: Immo.

Idiota: Cum ergo a te quaesitum fuerit, an sit deus, hoc quod praesupponitur dicito, scilicet eum esse, quia est entitas in quaestione praesupposita. Sic si quis quaesiverit quid est deus, cum haec quaestio praesupponat quiditatem esse, respondebis deum esse ipsam quiditatem absolutam. Ita quidem in omnibus. Neque in hoc cadit haesitatio. Nam deus est ipsa absoluta praesuppositio omnium, quae qualitercumque praesupponuntur, sicut in omni effectu praesupponitur causa. Vide igitur, orator, quam facilis est theologica difficultas.

Orator: Certe ista facilitas est maxima et stupenda.

Idiota: Immo dico tibi, quod deus est ipsa infinita facilitas et ne | quaquam convenit deo, quod sit ipsa infinita difficultas. Oportet enim, uti parum post audies de curvo et recto, quod difficultas transeat in facilitatem, si deo infinito debet convenire.

Orator: Si id, quod in omni quaestione praesup- **31**
ponitur, est in theologicis ad quaestionem responsio, tunc nulla est de deo propria quaestio, quando in ea coincidit responsio.

Idiota: Optime infers. Et adice quod, cum deus sit infinita rectitudo et necessitas absoluta, hinc

Laie: Setzt nicht die Frage, ob etwas ist, die Seinsheit voraus?

Redner: Aber ja.

Laie: Wenn man dich also fragt, ob Gott ist, dann sag das, was vorausgesetzt wird, nämlich daß er ist, denn er ist die in der Frage vorausgesetzte Seinsheit. Ebenso wirst du, wenn jemand fragt, was Gott ist, weil diese Frage voraussetzt, daß es Washeit gibt, antworten, daß Gott die absolute Washeit selbst ist. Und so mit allem. Und in bezug darauf gibt es kein Bedenken. Denn Gott ist die absolute Voraussetzung von allem, was wie auch immer vorausgesetzt wird, so wie in jeder Wirkung die Ursache vorausgesetzt wird. Sieh also, Redner, wie leicht die theologische Schwierigkeit ist.

Redner: Gewiß ist diese Leichtigkeit sehr groß und erstaunlich.

Laie: Ich sage dir sogar, daß Gott die unendliche Leichtigkeit selbst ist, und keineswegs kommt es Gott zu, die unendliche Schwierigkeit selbst zu sein. Es muß nämlich, wie du etwas später über das Krumme und das Gerade hören wirst, die Schwierigkeit in Leichtigkeit übergehen, wenn sie dem unendlichen Gott zukommen soll.

31 *Redner:* Wenn das, was in jeder Frage vorausgesetzt wird, in der Theologie die Antwort auf die Frage ist, dann gibt es über Gott keine eigentliche Frage, da ja in ihr die Antwort mit der Frage zusammenfällt.

Laie: Sehr gut bringst du das vor. Und füge noch hinzu, daß, weil Gott die unendliche Richtigkeit und die absolute Notwendigkeit ist, ihn deshalb

dubia quaestio eum non attingit, sed omnis dubitatio in deo est certitudo. Unde sic et omnis de deo ad quaestionem responsio non est propria et praecisa responsio, cum praecisio non sit nisi una et infinita, quae est deus. Omnis enim responsio participat de absoluta responsione, quae est infinite praecisa. Sed id, quod dixi tibi, quomodo in quaestionibus theologicis praesuppositum est responsio, intelligendum est modo, quo est quaestio. Et
79r sic capias hanc ¦ esse sufficientiam, quoniam, cum de | deo nec quaestio nec ad quaestionem responsio praecisionem attingere possit, tunc modo, quo ad praecisionem accedit quaestio, eo modo praesuppositi responsio. Et haec est »sufficientia nostra«, quam »ex deo« habemus, scientes inattingibilem praecisionem non posse per nos attingi nisi modo aliquo absolutae praecisionis modum participante. Inter quos modos varios et multiplices unicum praecisionis modum participantes iam dictus modus plus accedit ad facilitatem absolutam et est sufficientia nostra, quia alium, qui sit simul facilior et verior, attingere nequimus.

Orator: Quis non stuperet haec audiens? Nam **32**
cum deus sit ipsa incomprehensibilitas absoluta, tu dicis tanto comprehensionem ad ipsum plus accedere, quanto modus eius plus participat facilitate.

Idiota: Qui mecum intuetur absolutam facilita-

eine zweifelnde Frage nicht berührt, vielmehr ist jede Ungewißheit in Gott Gewißheit. Daher ist ebenso auch jede Antwort auf eine Frage über Gott keine eigentliche und genaue Antwort, da es nur eine und unendliche Genauigkeit gibt, welche Gott ist. Jede Antwort nämlich hat teil an der absoluten Antwort, die unendlich genau ist. Aber das, was ich dir gesagt habe, daß in theologischen Fragen das Vorausgesetzte die Antwort ist, ist zu verstehen in der Weise, in der die Frage gestellt ist. Und so sollst du verstehen, daß sie das Zureichen ist, weil ja, da über Gott weder eine Frage noch eine Antwort auf die Frage Genauigkeit erreichen kann, dann auf dieselbe Weise, wie die Frage sich der Genauigkeit nähert, auf dieselbe Weise auch die Antwort mit Hilfe des Vorausgesetzten. Und das ist unser Zureichen, das wir von Gott haben, indem wir wissen, daß die unerreichbare Genauigkeit von uns nur erreicht werden kann in irgendeiner Weise, die an der Weise der absoluten Genauigkeit teilhat. Unter diesen verschiedenen und vielfältigen Weisen, die an der einzigen Weise der Genauigkeit teilhaben, kommt die genannte Weise an die absolute Leichtigkeit näher heran und ist unser Zureichen, weil wir eine andere, die zugleich leichter und wahrer wäre, nicht erreichen können.

32 *Redner:* Wer würde nicht staunen, wenn er dies hört? Denn obgleich Gott die absolute Unbegreifbarkeit selbst ist, sagst du, daß sich das Begreifen um so viel mehr ihm nähert, als seine Weise mehr an der Leichtigkeit teilhat.

Laie: Wer mit mir sieht, daß die absolute Leich-

tem coincidere cum absoluta incomprehensibilitate, non potest nisi id ipsum mecum affirmare. Unde constanter assero, quod, quanto modus universalis | ad omnes quaestiones de deo formabiles fuerit facilior, tanto verior et convenientior, prout deo convenit positio.

Orator: Explana istud.

Idiota: Hoc est prout de deo admittimus aliqua affirmative dici posse. Nam in theologia, quae omnia negat de deo, aliter dicendum, quia ibi verior responsio est ad omnem quaestionem negatio. Sed eo modo non ducimur ad cognitionem quid deus sit, sed quid|non sit. Est deinde consideratio de deo, uti sibi nec positio nec ablatio convenit, sed prout est supra omnem positionem et ablationem. Et tunc responsio est negans affirmationem et negationem et copulationem. Ut, cum quaereretur an deus sit, secundum positionem respondendum ex praesupposito, scilicet eum esse et hoc ipsam absolutam praesuppositam entitatem. Secundum ablationem vero respondendum eum non esse, cum illa via ineffabili nihil conveniat omnium, quae dici possunt. Sed secundum quod est supra omnem positionem et ablationem respondendum eum nec esse, absolutam scilicet entitatem, nec non esse nec utrumque simul, sed supra. Nunc puto intelligis id, quod volo. |

tigkeit zusammenfällt mit der absoluten Unbegreifbarkeit, kann nicht anders als dies mit mir zu bejahen. Daher erkläre ich fest, daß, je leichter eine allgemeine Weise hinsichtlich aller über Gott bildbaren Fragen ist, sie desto wahrer und angemessener ist, insoweit in bezug auf Gott eine Setzung angemessen ist.

Redner: Erläutere dies.

Laie: Das heißt, soweit wir einräumen, daß über Gott irgend etwas in bejahendem Sinn gesagt werden kann. Denn in der Theologie, die von Gott alles verneint, muß man anders reden, weil dort die wahrere Antwort auf jede Frage die Verneinung ist. Aber auf die Weise werden wir nicht zur Erkenntnis dessen geführt, was Gott ist, sondern was er nicht ist. Es gibt ferner eine Betrachtung von Gott, wie ihm weder Setzung noch Wegnahme zukommt, sondern wie er über aller Setzung und Wegnahme ist. Und dann verneint die Antwort die Bejahung und die Verneinung und die Verbindung beider, so daß, wenn gefragt würde, ob Gott ist, gemäß der Setzung aufgrund des Vorausgesetzten zu antworten ist, nämlich, daß er ist, und zwar die absolute vorausgesetzte Seinsheit selbst. Gemäß der Wegnahme jedoch ist zu antworten, daß er nicht ist, da auf diesem Wege dem Unaussprechlichen nichts zukommt von allem, was gesagt werden kann. Aber nach Maßgabe dessen, daß er über aller Setzung und Wegnahme ist, ist zu antworten, daß er weder ist, nämlich die absolute Seinsheit, noch nicht ist, noch beides zugleich, sondern darüber. Nun, denke ich, verstehst du das, was ich will.

Orator: Intelligo nunc te dicere velle, quod in **33** theologia sermocinali, scilicet ubi de deo locutiones admittimus et vis vocabuli penitus non excluditur, ibi sufficientiam difficilium in facilitatem modi de deo propositiones veriores formandi redegisti.

Idiota: Bene cepisti. Nam si tibi de deo conceptum, quem habeo, pandere debeo, necesse est, quod locutio mea, si tibi servire debet, talis sit, cuius vocabula sint significativa, ut sic te ducere queam in vi vocabuli, quae est nobis communiter nota, ad quaesitum. Deus est autem qui quaeritur. Unde haec est sermocinalis theologia, qua nitor te ad deum per vim vocabuli ducere modo quo possum faciliori et veriori.

Orator: Revertamur nunc quaeso ad ea, quae su- **34** periori loco a te praemissa sunt, et ex ordine explana. Primo loco aiebas conceptum de conceptu, cum deus sit conceptionum conceptus, esse de deo conceptum. Nonne mens est quae concipit?

Idiota: Sine mente non fit conceptus. |

Orator: Concipere igitur cum sit mentis, tunc concipere absolutum conceptum non est nisi artem absolutae mentis concipere.

Idiota: Prosequere, quia in via es.

Orator: Sed ars absolutae mentis non est nisi forma omnium formabilium. Sic video, quomodo

33 *Redner:* Ich verstehe jetzt, daß du sagen willst, daß in der an die Rede gebundenen Theologie, das heißt wo wir über Gott sprachliche Äußerungen zulassen und die Bedeutung des Wortes durchaus nicht ausgeschlossen wird, du dort das Zureichen von Schwierigem zur Leichtigkeit der Weise, über Gott wahrere Sätze zu bilden, gemacht hast.

Laie: Gut hast du es erfaßt. Denn wenn ich dir den Begriff von Gott, den ich habe, zugänglich machen soll, muß meine Rede, wenn sie dir dienen soll, derart sein, daß ihre Wörter hindeutend sind, damit ich dich so in kraft der Wortbedeutung, die uns gemeinsam bekannt ist, zum Gesuchten führen kann. Gott aber ist es, der gesucht wird. Daher ist dies die an die Rede gebundene Theologie, durch die ich mich bemühe, dich durch die Wortbedeutung zu Gott zu führen auf die, soviel ich kann, leichtere und wahrere Weise.

34 *Redner:* Laß uns nun bitte zurückkehren zu dem, was von dir an früherer Stelle vorausgeschickt worden ist, und erkläre es der Reihe nach. Zuerst hast du gesagt, daß der Begriff vom Begriff, weil Gott der Begriff des Begreifens ist, der Begriff von Gott ist. Ist es nicht der Geist, der begreift?

Laie: Ohne den Geist entsteht kein Begriff.

Redner: Da also das Begreifen Sache des Geistes ist, so ist den absoluten Begriff begreifen nichts anderes als die Kunst des absoluten Geistes begreifen.

Laie: Fahre fort, denn du bist auf dem Weg.

Redner: Aber die Kunst des absoluten Geistes ist nichts anderes als die Gestalt alles Gestaltbaren. So

conceptus de conceptu non est nisi conceptus ideae divinae artis. Si verum dico, responde.

Idiota: Immo optime. Nam absolutus conceptus aliud esse nequit quam idealis forma omnium quae concipi possunt, quae est omnium formabilium aequalitas.

35 *Orator:* Hic conceptus, ut puto, dei verbum seu ratio dicitur.

Idiota: Qualitercumque a doctis dicatur, in eo conceptu sunt omnia, sicut illa, quae sine ratione praevia non prodeunt in esse, dicimus in ratione prioriter exsistere. Omnia autem, quae esse conspicimus, rationem sui esse habent, ut sint modo quo sunt et non aliter. Qui igitur in simplicitatem absolutae rationis in se omnia prioriter com | plicantis intuetur profunda mente, hic facit conceptum de per se seu absoluto conceptu. Et hoc erat primum, quod praemisi.

Orator: Satis de hoc. Nunc adice, quomodo *79v* conceptus absolutae praecisionis sit prae ¦ cisior de deo conceptus.

36 *Idiota:* Non vacat mihi nunc tempus, ut per singula idem repetere queam, neque tibi video sic esse opportunum, cum ex uno ad omnia tibi aditus pateat, sed suscipe quam breviter: Praecisio, rectitudo, veritas, iustitia et bonitas, de quibus audisti, idem sunt. Nec credas me dicere velle modo, quo tota

sehe ich, daß der Begriff vom Begriff nichts anderes ist als der Begriff des Urbildes der göttlichen Kunst. Antworte, ob ich die Wahrheit sage.

Laie: Ja, sogar sehr gut. Denn der absolute Begriff kann nichts anderes sein als die urbildliche Gestalt von allem, was begriffen werden kann, das ist die Gleichheit alles Gestaltbaren.

35 *Redner:* Dieser Begriff wird, wie ich glaube, Gottes Wort oder der Wesensgrund genannt.

Laie: Wie auch immer er von den Gelehrten genannt wird, in diesem Begriff ist alles enthalten, so wie wir sagen, daß das, was ohne im Geist existierenden Wesensgrund nicht ins Sein tritt, zuvor im Geist existiert. Alles aber, was wir existieren sehen, hat einen Grund seines Seins, daß es so ist, wie es ist, und nicht anders. Wer also in die Einfachheit des absoluten Wesensgrundes, der in sich alles vorgängig einfaltet, aus der Tiefe des Geistes schaut, der bildet einen Begriff vom absoluten Begriff oder Begriff an sich. Und das war das erste, was ich vorausgeschickt habe.

Redner: Genug davon. Füge nun hinzu, in welcher Weise der Begriff der absoluten Genauigkeit ein genauerer Begriff von Gott ist.

36 *Laie:* Ich habe jetzt nicht die Zeit, dasselbe auf jedes Einzelne bezogen zu wiederholen, noch halte ich es für dich so für angebracht, da dir von einem her zu allem der Zugang offen steht, doch nimm es möglichst kurz so auf: Genauigkeit, Richtigkeit, Wahrheit, Gerechtigkeit und Gutheit, von denen du gehört hast, sind dasselbe. Glaube aber nicht, daß ich es in der Weise meine, wie die ganze Got-

theologia est in circulo posita, ut unum de attributis de alio verificetur, sicut dicimus ex necessitate simplicitatis dei infinitae dei magnitudinem esse dei potentiam et e converso et dei potentiam esse dei virtutem et ita de cunctis essentiae dei per nos attributis. Sed haec, de quibus nunc sermo, experimur in nostro communi sermone coincidere. Quando enim | audimus aliquem rem uti est exprimere, unus dicit exprimentem praecise expressisse, alius recte, alius vere, alius iuste et alius bene. Ita quidem in cotidiano experimur sermone.

Neque ille, qui ait aliquem praecise ac recte dixisse, vult aliud dicere quam alter, qui eum ait vere ac iuste aut bene dixisse. Et hoc in te ipso sic esse comperis, quando attendis, quomodo ille, qui nec plus nec minus dixit quam dicere debuit, omnia illa attigit. Nam praecisum non est aliud nisi quod nec plus nec minus. Sic nec rectum nec verum nec iustum nec bonum plus aut minus admittunt. Quomodo enim foret praecisum aut rectum aut verum aut iustum aut etiam bonum, quod minus praeciso, recto, vero, iusto et bono foret? Et si minus praeciso non est praecisum et minus recto non **37**

teslehre auf einem Kreis aufgebaut ist, so daß das eine der Attribute vom anderen her bewahrheitet wird, wie wir aufgrund der Notwendigkeit der unendlichen Einfachheit Gottes sagen, daß Gottes Größe Gottes Macht ist und umgekehrt und daß Gottes Macht Gottes Kraft ist und so von allem, was dem Wesen Gottes durch uns zugeschrieben worden ist. Aber das, wovon jetzt die Rede ist, davon machen wir die Erfahrung, daß es in unserer allgemeinen Rede zusammenfällt. Wenn wir nämlich hören, daß jemand irgendeine Sache ausdrückt, wie sie ist, so sagt einer, der Betreffende habe es genau ausgedrückt, der andere sagt »richtig«, der nächste »wahr«, ein weiterer »gerecht« und ein letzter »gut«. So jedenfalls erfahren wir es im alltäglichen Reden.

37 Und jener, der sagt, einer habe genau und richtig gesprochen, will nichts anderes sagen als der andere, der sagt, er habe wahr und gerecht oder gut gesprochen. Und daß dies sich so verhält, erfährst du in dir selbst, wenn du darauf achtest, daß jemand, der nicht mehr und nicht weniger gesagt hat als er sagen mußte, das alles berührt hat. Denn »genau« heißt nichts anderes als »weder mehr noch weniger«. So lassen weder das Richtige noch das Wahre noch das Gerechte noch das Gute ein Mehr oder Weniger zu. Wie nämlich wäre das genau oder richtig oder wahr oder gerecht oder auch gut, was weniger als genau, richtig, wahr, gerecht und gut wäre ist? Und wenn weniger als genau nicht genau ist und weniger als richtig nicht richtig ist und weniger als wahr nicht wahr ist und weni-

est rectum et minus vero non est verum et minus iusto non est iustum et minus bono non est bonum, manifestum est, quomodo id, quod plus recipit, non est de illis. Praecisio enim, quae plus recipit, | puta quae praecisior esse potest, non est praecisio absoluta. Ita de recto, vero, iusto et bono.

Orator: In his igitur, quae recipiunt magis et **38**
minus, non est de deo conceptus formandus.

Idiota: Optime infers. Nam cum deus sit infinitus, recipientia magis et minus sibi minus assimilantur. Quapropter in illis non ascenditur aut descenditur in infinitum, ut in numero et divisione continui experimur.

Orator: Igitur in hoc mundo non est nec praecisio nec rectitudo nec veritas nec iustitia nec bonitas, cum experiamur unum esse alio praecisius, ut una pictura praecisior est alia. Sic de rectitudine, nam unum est rectius alio et unum verius alio et unum iustius alio et unum melius alio.

Idiota: Bene concipis. Nam illa ut sunt absoluta a magis et minus non sunt de hoc mundo. Nihil enim reperibile est adeo praecisum, quod non possit esse praecisius, et nihil ita rectum, quod non possit esse rectius, aut ita verum, quod non possit esse verius, aut ita iustum, quod non possit esse iustius, aut ita bonum, quod non | possit esse melius. Praecisio igitur aut rectitudo aut veritas aut

ger als gerecht nicht gerecht ist und weniger als gut nicht gut ist, dann ist offenkundig, daß das, was ein Mehr aufnimmt, nicht dazugehört. Eine Genauigkeit nämlich, die ein Mehr aufnimmt, die etwa genauer sein kann, ist keine absolute Genauigkeit. Dasselbe gilt vom Richtigen, Wahren, Gerechten und Guten.

38 *Redner:* In dem also, was Mehr und Weniger aufnimmt, darf man keinen Begriff von Gott bilden.

Laie: Sehr gut gesagt. Denn da Gott unendlich ist, gleicht sich das, was Mehr oder Weniger aufnimmt, ihm weniger an. Deshalb steigt man in diesen nicht hinauf oder hinab zum Unendlichen, wie wir es bei der Zahl und der Teilung des Stetigen erfahren.

Redner: Also gibt es in dieser Welt weder Genauigkeit noch Richtigkeit noch Wahrheit noch Gerechtigkeit noch Gutheit, da wir die Erfahrung machen, daß das eine genauer ist als das andere, wie ein Bild genauer ist als das andere. Ebenso ist es mit der Richtigkeit, denn eines ist richtiger als das andere und eines wahrer als das andere und eines gerechter als das andere und eines besser als das andere.

Laie: Gut erfaßt du das. Denn jene, da sie ja abgelöst sind vom Mehr und Minder, sind nicht von dieser Welt. Denn nichts läßt sich finden, das so genau ist, daß es nicht genauer sein könnte, und nichts so richtig, daß es nicht richtiger sein könnte, oder so wahr, daß es nicht wahrer sein könnte, oder so gerecht, daß es nicht gerechter sein könnte, oder so gut, daß es nicht besser sein könnte. Genauig-

iustitia aut bonitas in hoc mundo reperibiles sunt quaedam participationes talium absolutorum et imagines, quarum illa sunt exemplaria. Plura dico exemplaria, dum ad variarum rerum varias rationes referimus, unum vero sunt exemplar, quia in absoluto coincidunt.

Orator: Audire te in hoc valde desidero, quo- **39**
modo unum est absolutum exemplar tantarum varietatum rerum universarum.

Idiota: Qui parum in his theologicis speculationibus versatus est, difficillimum istud opinatur, sed mihi nihil facilius delectabiliusque esse videtur. Complicat enim absolutum exemplar, quod non est nisi absoluta praecisio, rectitudo, veritas, iustitia seu bonitas, omnia exemplabilia, quorum omnium est praecisio, rectitudo, veritas, | iustitia et bonitas, multo quidem perfectius, quam facies tua omnes imagines eius formabiles, quarum omnium est praecisio et rectitudo atque veritas. Omnes enim depingibiles figurae faciei tuae in tantum sunt praecisae, rectae et verae, in quantum sunt figuram vivae faciei tuae participantes et imitantes. Et licet non sit possibile unam uti aliam depingi sine differentia, cum praecisio non sit de hoc mundo et aliud aliter exsistere necesse sit, omnium tamen illarum varietatum non est nisi unum exemplar.

keit also oder Richtigkeit oder Wahrheit oder Gerechtigkeit oder Gutheit, wie man sie in dieser Welt finden kann, sind gewisse Teilhaben an solchen Absoluta und Bilder, von denen jene die Urbilder sind. Von mehreren Urbildern spreche ich, wenn wir uns auf verschiedener Dinge verschiedene Wesensgründe beziehen; sie sind aber ein Urbild, weil sie im Absoluten zusammenfallen.

39 *Redner:* Hören möchte ich dich sehr gern noch darüber, daß es nur ein absolutes Urbild gibt von so großen Verschiedenheiten im Gesamt der Dinge.

Laie: Wer in diesen theologischen Betrachtungen zu wenig geübt ist, hält das für äußerst schwierig, aber mir scheint nichts leichter und ergötzlicher zu sein. Es umschließt nämlich das absolute Urbild, das nichts anderes ist als die absolute Genauigkeit, Richtigkeit, Wahrheit, Gerechtigkeit oder Gutheit, alles, was dem Urbild nachgebildet werden kann, von dem allem es die Genauigkeit, Richtigkeit, Wahrheit, Gerechtigkeit und Gutheit ist, sehr viel vollkommener freilich als dein Gesicht alle von ihm gestaltbaren Bilder umschließt, deren aller Genauigkeit und Richtigkeit und Wahrheit es ist. Alle abmalbaren Darstellungen nämlich deines Gesichts sind insoweit genau, richtig und wahr, wie sie an der Gestalt deines lebendigen Gesichtes Teil haben und sie nachahmen. Und obgleich es nicht möglich ist, daß eine wie die andere gemalt wird ohne Unterschied, da die Genauigkeit nicht von dieser Welt ist und das eine so, das andere so existieren muß, gibt es doch von all jenen Verschiedenheiten nur ein Urbild.

Orator: Verum dicis quoad unitatem exemplaris, **40**
non tamen quoad aequalitatem. Nam facies mea
licet sit mensura veritatis picturarum, quia ex in-
80r tuitione faciei iudicatur ima¦go an parum vel mul-
tum defi|ciat in figura, tamen non est verum, quod
facies mea sit omnium adaequatissima mensura
omni modo mensurae, quia semper est vel maior
vel minor.

Idiota: Verum dicis de facie tua, quae cum sit quanta et naturae eius, quod recipit magis et minus, non potest esse praecisio, sic nec adaequata alterius mensura. In mundo enim praecisione carente adaequata mensura ac similitudo est impossibilis. Secus igitur, si concipis exemplar absolutum. Illud enim nec est magnum nec parvum. Nam de ratione exemplaris ista esse nequeunt. Formica enim quando depingitur, non minus est exemplar quam mons depingendus et e converso. Quapropter absolutum exemplar, quod nec magis nec minus recipit, cum sit praecisio et veritas, non potest esse nec maius nec minus exemplato. Id enim, quod non potest esse minus, minimum dicimus, et hoc est maxime parvum. Id, quod non potest esse maius, maximum dicimus, et hoc est maxime magnum. |

Absolve igitur maximitatem a maxime parvo et **41**
maxime magno, ut ipsam maximitatem intuearis

40 *Redner:* Wahres sagst du in bezug auf die Einheit des Urbildes, jedoch nicht in bezug auf die Gleichheit. Denn wenn auch mein Gesicht das Maß für die Wahrheit der Gemälde ist, weil aufgrund der Betrachtung des Gesichts beurteilt wird, ob ein Bild in der Darstellung wenig oder viel Mangel zeigt, so ist es doch nicht wahr, daß mein Gesicht das angemessenste Maß von allem auf jederlei Weise von Maß ist, weil es immer größer und kleiner ist.

Laie: Wahres sagst du von deinem Gesicht. Da es eine bestimmte Ausdehnung hat und von der Natur ist, daß es ein Mehr oder Weniger zuläßt, kann es nicht die Genauigkeit sein, ebenso nicht das angemessene Maß eines anderen. In der Welt nämlich, in der es keine Genauigkeit gibt, ist angemessenes Maß und Ähnlichkeit unmöglich. Anders ist es also, wenn du dir das absolute Urbild vorstellst. Jenes nämlich ist weder groß noch klein. Denn dies kann nicht zum Wesen des Urbildes gehören. Wenn nämlich eine Ameise gemalt wird, ist sie nicht weniger Urbild als ein abzubildender Berg, und umgekehrt. Deshalb kann das absolute Urbild, das weder ein Mehr noch ein Weniger zuläßt, weil es die Genauigkeit und Wahrheit ist, weder mehr noch weniger sein als das Abgebildete. Das nämlich, was nicht kleiner sein kann, nennen wir das Kleinste, und das ist das am meisten Kleine. Das, was nicht größer sein kann, nennen wir das Größte, und das ist das am meisten Große.

41 Löse also die »Meistheit« von dem am meisten Kleinen und am meisten Großen, damit du die

in se, non in parvo aut magno contractam, et videbis absolutam maximitatem sic ante magnum et parvum, ita quod non potest esse maior aut minor, sed est maximum, in quo coincidit minimum. Quare hoc tale maximum ut est absolutum exemplar non potest esse cuicumque dabili exemplato maius aut minus. Id autem, quod non est nec maius nec minus, vocamus aequale. Est igitur absolutum exemplar aequalitas, praecisio, mensura seu iustitia, quod idem est et veritas et bonitas, quae est perfectio omnium exemplabilium.

Orator: Adhuc me quaeso instrue, quomodo rec- **42**
titudini absolutae conveniat infinitas.

Idiota: Libenter. Tu nosti quod, quanto circulus aliquis fuerit maior, tanto et eius diameter maior.

Orator: Fateor. |

Idiota: Et quamvis circulus, qui recipit magis et minus, non possit esse maximus simpliciter aut infinitus, concipiamus tamen circulum fore infinitum: nonne tunc eius diameter erit linea infinita?

Orator: Necesse est.

Idiota: Et circumferentia cum sit infinita, erit diameter. Duo enim infinita esse nequeunt, cum unumquodque per additamentum alterius posset esse maius. Et non posset esse curva ipsa circumferentia, nam impossibile foret eam nec maiorem

Meistheit selbst in sich schaust, nicht eingeschränkt im Kleinen oder Großen, und du wirst sehen, daß die absolute Meistheit so vor groß und klein ist, daß sie nicht größer oder kleiner sein kann, sondern sie ist das Größte, mit dem das Kleinste zusammenfällt. Daher kann dieses derart Größte, da es ja absolutes Urbild ist, nicht größer oder kleiner sein als ein jedes angebbares Abgebildetes. Das aber, was weder größer noch kleiner ist, nennen wir gleich. Es ist also das absolute Urbild die Gleichheit, Genauigkeit, das Maß oder die Gerechtigkeit; es ist auch die Wahrheit und die Gutheit, welche die Vollkommenheit alles Abbildbaren ist.

42 *Redner:* Unterrichte mich bitte ferner, wie der absoluten Richtigkeit und Geradheit Unendlichkeit zukommt.

Laie: Gerne. Du weißt, daß, je größer ein Kreis, desto größer sein Durchmesser ist.

Redner: Ja.

Laie: Und obgleich ein Kreis, der ein Mehr oder Weniger zuläßt, nicht der größte einfachhin oder unendlich sein kann, wollen wir uns doch denken, der Kreis wäre unendlich: wird dann nicht sein Durchmesser eine unendliche Linie sein?

Redner: Notwendig.

Laie: Und da der Umfang unendlich ist, wird er der Durchmesser sein. Zwei Unendliche nämlich kann es nicht geben, da ein jedes durch Hinzufügen des anderen dann größer sein könnte. Und der Umfang selbst könnte nicht gekrümmt sein, denn es wäre unmöglich, daß er weder größer noch kleiner

nec minorem fore diametro, si foret curva, cum una sit omnium circulorum curvarum circumferentiarum habitudo diametri ad circumferentiam, quae est habitudo plus quam tripla. Si igitur circumferentia est aequalis diametro, erit ipsa diameter et linea recta. Ob hoc etiam vides, quomodo arcus circuli magni similior est rectae lineae quam arcus circuli parvi. Unde infiniti circuli circumferentia foret ex hoc recta, ex quo tibi constat curvitatem, quae recipit magis et minus, non reperiri in infinito, sed solam rectitudinem. |

Orator: Valde placent quae dicis, quoniam facili- **43**
ter me ad quaesitum elevant. Prosequere quaeso, quomodo rectitudo infinita sit exemplar.

Idiota: Per te ipsum hoc clarissime conspicis, quod infinita rectitudo se habet ad omnia sicut infinita linea, si foret, ad figuras. Nam si infinita rectitudo, quae est necessario absoluta, ad lineam contracta reperitur necessario omnium figurabilium figurarum complicatio, praecisio, rectitudo, veritas, mensura et perfectio, tunc absoluta rectitudo absolute penitus et incontracte ad lineam aut aliud quodcumque considerata est similiter absolute omnium exemplar, praecisio, veritas, mensura et perfectio.

Orator: Nihil dubii haec omnia habent. Solum ostende, quomodo infinita linea est omnium figu-

wäre als der Durchmesser, wenn er gekrümmt wäre, da das Verhältnis von Durchmesser zu Umfang bei allen Kreisen mit gekrümmtem Umfang eines ist, und zwar das Verhältnis von mehr als dreimal. Wenn daher der Umfang dem Durchmesser gleich ist, ist er selbst der Durchmesser und eine gerade Linie. Deshalb siehst du auch, daß der Bogen eines großen Kreises einer Geraden ähnlicher ist als der Bogen eines kleinen Kreises. Daher wäre des unendlichen Kreises Umfang gerade aus eben dem Grund, aus dem dir feststeht, daß die Gekrümmtheit, die ein Mehr und Minder zuläßt, im Unendlichen nicht zu finden ist, sondern nur die Geradheit.

43 *Redner:* Was du sagst, gefällt mir sehr, da es mich leicht zum Gesuchten emporhebt. Fahre bitte fort, wie die unendliche Geradheit Urbild ist.

Laie: Du selber siehst das aufs klarste, daß die unendliche Geradheit sich zu allem verhält wie die unendliche Linie, wenn es sie gäbe, zu den Figuren. Denn findet sich die unendliche Geradheit, die notwendig absolut ist, zur Linie eingeschränkt notwendigerweise als aller darstellbaren Figuren Einfaltung, Genauigkeit, Geradheit, Wahrheit, Maß und Vollkommenheit, dann ist die absolute Geradheit ganz und gar absolut und nicht zur Linie oder irgend etwas anderem eingeschränkt betrachtet in gleicher Weise absolut Urbild, Genauigkeit, Wahrheit, Maß und Vollkommenheit von allem.

Redner: Nichts Zweifelhaftes hat dies alles. Nur zeige noch, daß die unendliche Linie aller Figuren Genauigkeit ist. Du sagtest nämlich tags zuvor,

rarum praecisio. Dixisti enim pridie circulum infinitum esse omnium figurarum exemplar, et non cepi. Hinc nunc de hoc volens clarius informari ad te accessi. Modo ais lineam infinitam esse praecisionem, quod minus capio.

44 *Idiota:* Audisti, quomodo linea infinita est circulus. Sic et triangulus, quadrangulus, pentagonus, sic omnes figurae infinitae cum linea infinita coincidunt. Hinc linea infinita est omnium figurarum exemplar, quae de lineis fieri possunt, quoniam infinita linea est | actus infinitus seu forma omnium *80v* formabilium figurarum. Et quan ¦ do ad triangulum respexeris et te ad infinitam lineam elevaveris, reperies ipsam huius trianguli adaequatissimum exemplar hoc modo: Considera triangulum infinitum. Hic triangulus infinitus non est nec maior nec minor designato, nam latera infiniti trianguli sunt infinita. Latus autem infinitum cum sit maximum, in quo coincidit minimum, non est nec maius nec minus lateri signato. Sic infiniti trianguli latera non sunt nec maiora nec minora lateribus dati trianguli; sic nec totus triangulus nec maior nec minor signato. Quare infinitus triangulus est praecisio et forma absoluta finiti. Sed tria latera infiniti trianguli necessario forent linea una infinita, cum non possint esse plures lineae infini-

daß der unendliche Kreis aller Figuren Urbild ist, und ich habe es nicht verstanden. Daher bin ich nun, weil ich darüber deutlicher unterrichtet werden möchte, zu dir gekommen. Jetzt sagst du, daß die unendliche Linie die Genauigkeit ist; das verstehe ich noch weniger.

44 *Laie:* Du hast gehört, daß die unendliche Linie Kreis ist. Ebenso auch Dreieck, Viereck, Fünfeck; so fallen alle unendlichen Figuren mit der unendlichen Linie zusammen. Daher ist die unendliche Linie das Urbild aller Figuren, die aus Linien gebildet werden können, denn die unendliche Linie ist die unendliche Wirklichkeit oder die Gestalt aller gestaltbaren Figuren. Schaust du auf ein Dreieck und erhebst dich zur unendlichen Linie, dann wirst du finden, daß sie das angemessenste Urbild dieses Dreiecks ist, folgendermaßen: Betrachte das unendliche Dreieck. Dieses unendliche Dreieck ist weder größer noch kleiner als das gezeichnete, denn die Seiten des unendlichen Dreiecks sind unendlich. Die unendliche Seite aber, da sie das Größte ist, mit dem das Kleinste zusammenfällt, ist weder größer noch kleiner als die gezeichnete Seite. So sind die Seiten des unendlichen Dreiecks weder größer noch kleiner als die Seiten des gegebenen Dreiecks; so ist auch das ganze Dreieck weder größer noch kleiner als das gezeichnete. Deshalb ist das unendliche Dreieck die Genauigkeit und die absolute Gestalt des endlichen. Aber die drei Seiten des unendlichen Dreiecks wären notwendig *eine* unendliche Linie, da es nicht mehrere unendliche Linien geben kann. So ergäbe sich, daß die unendli-

tae. Sic eveniret lineam infinitam fore praecisissimum exemplar dati trigoni. Et sicut de trigono dixi, ita pariformiter de omnibus figuris.

45 *Orator:* O miranda facilitas difficilium! Video nunc positionem infinitatis lineae omnia ista clarissime sequi, scilicet ipsam fore exem|plar, praecisionem, rectitudinem, veritatem, mensuram seu iustitiam, bonitatem seu perfectionem omnium figurabilium figurarum per lineam. Et conspicio in simplicitate rectitudinis eius omnia figurabilia esse complicite, verissime et formalissime atque praecisissime, sine omni confusione, sine omni defectu in infinitum perfectius quam figurari possint.

46 *Idiota:* Benedictus deus, qui me imperitissimo homine tamquam qualicumque instrumento usus est, ut tibi oculos mentis aperiret ad intuendum ipsum mira facilitate modo, quo ipse se tibi visibilem praestitit. Nam quando te de rectitudine ad lineam contracta transfers ad absolutam infinitam rectitudinem, tunc in ipsa rectitudine intueberis omne formabile complicari et omnium rerum species, sicut de figuris praemisi, et quomodo ipsa rectitudo est exemplar, praecisio, veritas, mensura seu iustitia, bonitas seu perfectio omnium, quae sunt aut esse possunt, et actualitas praecisa et inconfusa omnium exsistentium et fieri possibilium,

che Seite das genaueste Urbild eines gegebenen Dreiecks ist. Und wie ich es vom Dreieck gesagt habe, so gilt es in gleicher Weise von allen Figuren.

45 *Redner:* O wunderbare Leichtigkeit des Schwierigen! Ich sehe nun, daß aus der Setzung der unendlichen Linie all dieses aufs klarste folgt, nämlich daß sie Urbild, Genauigkeit, Geradheit, Wahrheit, Maß oder Gerechtigkeit, Gutheit oder Vollkommenheit aller durch die Linie darstellbaren Figuren ist. Und ich werde gewahr, daß in der Einfachheit ihrer Geradheit alles Darstellbare eingefalteterweise aufs wahrste und gestaltetste und genaueste, ohne alle Verwirrung, ohne allen Mangel unendlich vollkommener enthalten ist als es dargestellt werden kann.

46 *Laie:* Gepriesen sei Gott, der mich ganz einfältigen Menschen gleichsam als wie auch immer beschaffenes Werkzeug gebraucht hat, daß er dir die Augen des Geistes öffne, ihn selbst in wunderbarer Leichtigkeit zu schauen in der Weise, in der er selbst sich dir sichtbar gemacht hat. Denn wenn du dich von der auf die Linie eingeschränkten Geradheit zur absoluten unendlichen Geradheit wendest, dann wirst du sehen, daß in der Geradheit selbst alles Gestaltbare und aller Dinge Arten eingefaltet sind, wie ich es von den Figuren vorausgeschickt habe, und daß die Geradheit selbst Urbild, Genauigkeit, Wahrheit, Maß oder Gerechtigkeit, Gutheit oder Vollkommenheit von allem, was ist oder sein kann, ist und die genaue und unvermischte Wirklichkeit von allem, was ist und wer-

ita quod ad quamcumque speciem aut exsistens oculos convertis, si mentem ad infinitam recti-|tudinem elevaveris, reperies ipsam praecisissimam eius veritatem exemplarem neque deficientem. Ut cum videas hominem, qui est rectus et verus homo, quod non est aliud nisi quod rectitudo, veritas, mensura et perfectio sic contracta et terminata est homo, et rectitudinem eius, quae est finita, consideraveris et elevaveris te ad infinitam rectitudinem, statim intueberis, quomodo rectitudo absoluta et infinita non potest esse nec maior nec minor rectitudine illa ad hominem contracta, qua homo est rectus et verus homo, sed est praecisio eius verissima, iustissima et optima. Ita veritas infinita finitae veritatis est praecisio et absolute infinitum omnis finiti praecisio, mensura, veritas et perfectio. Quare sicut de homine dictum est, ita de omnibus concipe.

Sic nunc habes id, quod in aeterna sapientia con- **47**
templari conceditur, ut intuearis omnia in simplicissima rectitudine verissime, praecisissime, inconfuse et perfectissime, licet medio aenigmatico, sine quo in hoc mundo dei visio esse nequit, quousque concesserit | deus, ut absque aenigmate nobis visibilis reddatur. Et haec est facilitas difficilium sapientiae, quam pro tua ferventia et devotione

den kann, so daß, auf welche Art oder welches Seiende du die Augen richtest: wenn du den Geist zur unendlichen Geradheit erhebst, wirst du finden, daß sie deren genaueste urbildliche und nicht vergehende Wahrheit ist. Wie wenn du einen Menschen siehst, der ein gerader und wahrer Mensch ist – was nichts anderes ist, als daß Geradheit, Wahrheit, Maß und Vollkommenheit in solcher Weise eingeschränkt und begrenzt Mensch ist–, und wenn du seine Geradheit, die endlich ist, betrachtest und dich zur unendlichen Geradheit erhebst, wirst du alsbald sehen, daß die absolute und unendliche Geradheit nicht größer und nicht kleiner sein kann als jene zum Menschen eingeschränkte Geradheit, durch die der Mensch ein gerader und wahrer Mensch ist, sondern sie ist deren wahrste, vollständigste und beste Genauigkeit. So ist die unendliche Wahrheit der endlichen Wahrheit Genauigkeit und absolut gesprochen das Unendliche alles Endlichen Genauigkeit, Maß, Wahrheit und Vollkommenheit. Wie es daher vom Menschen gesagt wurde, so begreife es von allem.

47 So hast du nun das, was in der ewigen Weisheit zu betrachten eingeräumt wird, damit du alles in der einfachsten Geradheit und Richtigkeit aufs wahrste, genaueste, unverworren und aufs vollkommenste schaust, wenngleich vermittels eines Rätselbildes, ohne das es in dieser Welt eine Gottesschau nicht geben kann, bis Gott gewährt, daß er ohne Rätsel uns sichtbar wird. Und das ist des Schwierigen Leichtigkeit der Weisheit, die Gott nach dem Maß deiner Glut und Hingabe von Tag zu

deus in dies tibi et mihi clariorem quaeso faciat, quousque nos in gloriosam fruitionem veritatis transferat aeternaliter remansuros. Amen.

Tag dir und mir – das bitte ich – deutlicher machen möge, bis er uns in den Wahrheitsgenuß der Herrlichkeit versetzt, in dem wir ewig bleiben sollen. Amen.

ANMERKUNGEN* DER HERAUSGEBERIN

1: Zu den Stichworten dieses Abschnitts vgl. Thomas von Kempen, *De imitatione Christi* (1441; Ausgabe Antwerpen 1647) I 2,1: Melior est ... humilis rusticus ... quam superbus Philosophus. 6,1: Pauper & humilis spiritu ...; 7,1; III 58,10: Gaudete humiles & exultate pauperes, quia vestrum est regnum Dei (*Mt.* 5). IV 18,4: Graditur Deus cum simplicibus; reuelat se humilibus; dat intellectum paruulis; aperit sensum puris mentibus, & abscondit gratiam curiosis & superbis.

1,5: AUF FEINE WEISE] eigentlich: anmutig, elegant, (im heute nicht mehr gebräuchlichen Sinn) artig; bezeichnet häufig Erscheinungsbild und Benehmen des Redners. So tut der *pauper idiota,* was gewöhnlich den Redner ziert. Es deutet sich schon hier am Anfang in der Wortwahl an, wie Cusanus die Rollen verteilen wird, wer der wahre Weise ist.

1,10–13: DASS DIE WEISHEIT ... MACHT DEMÜTIG] Vgl. Richard von St. Viktor, *Benjamin maior* III 3 (PL 196, 112 A/B); 1. *Kor.* 8,1 und 3,19.

1,13: WAHRES WISSEN ABER MACHT DEMÜTIG] Vgl. *De gen.* 4 n. 174,5f. (h IV 123): Sic cognitio ignorantiae humiliat et humiliando exaltat et doctum facit. *Sermo XXXIX* (Dies sanctificatus, p II 1 fol. 52^v, 46–53^r,1).

1,15: DER FREUDENSCHATZ] Schon hier kündet sich mit der Allusion von *Kol.* 2,2f. das Thema der Schrift an. Der Terminus erweist sich in *De visione dei* als der Sprache der Mystik zugehörig; vgl. *De vis. dei* 5 n. 13 (p I fol. 100^v,16). Die unerschöpfliche, nicht endende, »unsagbare« Freude, von der der Laie sprechen wird, ist die *laetitia vitae* (s. u. n. 12,17; 27,16), die Freude, die aus dem wahren Leben kommt und Seligkeit bedeutet. Vgl. auch die Rede vom *thesaurus vitae* unten n. 11,15.

2,2: SONDERN LIEBE] Hinter der Aussage steht das die praktische Lebensführung der Devoten bestimmende Gebot der Nächstenliebe; vgl. Thomas von Kempen, *De imit. Christi* I 3,6; 8,2.

* Die Zählung bezieht sich auf die Paragraphen- und Zeilenzählung des Übersetzungstextes.

2,7: DASS DER STRICK ZERRISSEN IST] Vgl. *Ps.* 124 (123 Vulgata), 7.

2,8–11: DICH ZOG ... IHM VORGEWORFEN WIRD.] In dem Vergleich klingt nach Platon, *Phaidr.* 247 f.

2,12 f.: DIE AUTORITÄT DER BÜCHERSCHREIBER.] Zur kritischen Beurteilung der Funktion von Autoritäten für den Zugang zur Wahrheit vgl. Thomas von Kempen, *De imit. Christi* I 5,1.

3,7: VOLLKOMMENE MÄNNER] Vgl. *Ephes.* 4,13. Die »Vollkommenheit« bezieht sich auf das Wachstum in der Weisheit. Es spielt jedoch nach dem biblisch-konkordanten Hören der Zeit zugleich hinein Jesu Forderung aus der Bergpredigt *Mt.* 5,48: Estote ergo vos perfecti, sicut et Pater vester caelestis perfectus est. In diesem doppelten Sinne ist es das Ziel der Devoten, *viri perfecti* in der Nachfolge Christi zu werden; vgl. Thomas von Kempen, *De imit. Christi* I 11,5; 18,5.

3,13–15: DA DIE WISSENSCHAFTEN DURCH HINZUFÜGUNGEN GEWACHSEN SIND] Ein hübsches Beispiel für die spätere Tradition dieses Begriffs von Wissenschaft findet sich in der Vorrede zur 1. Auflage (1712) des *Curieusen und Realen Natur=Kunst=Berg=Gewerck= und Handlungs=Lexicon,* Leipzig 1736, S. 21: »Darnach hat eine iede Wissenschaft so viel Zusatz bekommen, daß die alten Physici, Mathematici und Historici, wenn sie heute wieder aufstünden, und alle ihre Weisheit wieder mit sich brächten, nur für schlechte Anfänger passiren würden.« Das 18. Jahrhundert war die Zeit der großen Lexika, des enzyklopädischen Wissens und des aufklärerischen Vertrauens in den Fortschritt der Wissenschaften. Vgl. auch in unserem Text in n. 1,16 den Begriff des *proficere,* des Vorankommens.

3,19 f.: DIE WEISHEIT ... AUF DEN STRASSEN] Vgl. *Sprüche* 1,20.

3,20 f.: IN DEN HÖCHSTEN HÖHEN WOHNT] Vgl. *Sirach* 24,7.

4,5: DAHER BIST DU HOCHMÜTIG] Vgl. *De quaer. deum* 3 n. 40,1–6 (h IV 28; Übers. H 3, S. 21).

4,6–8: ICH ABER ERKENNE ... BELEHRTER.] Vgl. Thomas von Kempen, *De imit. Christi* I 4,2. S. auch Plato, *Apol.* 21 d 4–7 (Nikolaus besaß das Werk in cod. Cus. 177); *De docta ign.* I 1 n. 4 (H 15 a, S. 8): tanto quis doctior erit, quanto se sciverit magis ignorantem. Daß der pauper idiota der wahre doctus ist, entspricht der antiklerikalen und antischolastischen Tendenz der Devotio moderna. Die Plato- und Aristoteles-Zitate des Cusaners sind in der Regel Traditionszitate. Das heißt methodisch: sie sind immer schon im Kontext ihrer christlichen Auslegungsgeschichte zu hören. Zum vorlie-

genden Lemma s. u. in Am. zu n. 10,12–15 das Zitat aus Thomas von Kempen, *De imit. Christi.* Zum Nachwirken des Gedankens in der Geschichte der Frömmigkeit vgl. Heinrich Müller, *Himmlischer Liebes=Kuß, Oder Evangelische Betrachtungen Uber die Wohlthaten GOttes und seiner unendlichen Liebe gegen den Menschen,* Erfurt 1740, Cap. 7 § 14, S. 78. In Auslegung von *Eph.* 1,17 heißt es hier: Was GOtt sey, kan ich seliglich nicht aus Büchern ins Gehirn fassen, sondern der H. Geist muß es dem Hertzen inwendig durch eine lebendige Berührung zeigen ... In diesem lebendigen und lebendigmachenden Erkänntniß verstehet offt ein einfältiger Laye mehr als der gröste Doctor in Israel ... Im folgenden ist die Rede von »viel heller und gewisser Verstand GOttes«, als »ein Meister über alle Meister aus vielen Büchern durch viel Studiren von aussen kan hinein bringen ... Das Wissen, das von aussen kommt, blehet auf, ... das inwendige Erkänntniß erwärmet unser Hertz süssiglich in heißbrennender Liebe, ... tilget alle Eigendünckel, und führet kräfftiglich in ein seliges Nicht=Wissen«. Vgl. die Stichworte in n. 1,11; 10,17–15; 17,7f.

4,12–15: NICHT AUS DEINEN, SONDERN AUS GOTTES BÜCHERN ... GESCHRIEBEN HAT] Zur Buchmetaphorik vgl. E. R. Curtius, *Europäische Literatur und lateinisches Mittelalter,* Bern und München [6]1967 zum Stichwort, bes. S. 324f.; H. Blumenberg, *Die Lesbarkeit der Welt,* Frankfurt am Main [2]1983, bes. Kap. II–VI, S. 17ff. – Die Rede von der Welt als Gottes Buch wurde von Augustin vorbereitet; vgl. *Enarrationes in Psalmos* 45 n. 7 (CCSL XXXVIII, S. 522) zu Ps. 45,4. Die Metapher von den zwei Büchern, dem in der Vernunft geschriebenen »inneren Buch« und dem »außen« geschriebenen Buch der Natur, entwickelt sich im 12. Jahrhundert; vgl. Hugo von St. Viktor, *De sacramentis christianae fidei* I pars VI c. 5 (PL 176, 173–618; 266 D); Bonaventura, *Breviloqium* (Opera omnia, ed. studio et cura P. P. Collegii a S. Bonaventura, vol. V, Ad Claras Aquas [Quaracchi], 1891, S. 199–291) II 11 (S. 229a): ... duplex est *liber,* unus scilicet scriptus *intus,* qui est aeterna Dei ars et sapientia; et alius scriptus *foris,* mundus scilicet sensibilis. (Cusanus besaß das *Breviloqium* mehrmals, in cod. Cus. 64, 78 und 124). – Zu digitus dei vgl. 2. *Mose* 8,15 (Vulgata 19); 5. *Mose* 9,10; *Lk.* 11,20. Dies »Buch der Natur« ist ein Buch, dessen einzelne Schriftzeichen gelesen werden müssen, d. h. deren Bedeutung man verstehen muß; vgl. Hugo von St. Viktor, *Eruditio didascalica* VII 4 (PL 176, 814; die Schrift lag Cusanus in cod. Cus. 64 vor). Hugo bezieht sich hier auf

Röm. 1,20 (vgl. dazu *De possest* n. 2; H 9, S. 2). Die Rede von den zwei Büchern ist noch im 18. Jahrhundert geläufig; vgl. Str. 1–2 des Gedichts von Johann Christian Günther, *Zufällige Gedancken Von dem Nutzen oder Lust der Bücher=Saale, als Herr Christian Gottlieb Buder zum Bibliothecario zu Jena ernennet wurde (Sammlung von Johann Christian Günthers … Gedichten,* Frankfurt und Leipzig 1724, S. 9 f.; Neuausgabe: *Gesammelte Gedichte,* München 1981, S. 192 f.); Barthold Heinrich Brockes, *Irdisches Vergnügen in Gott,* 2. Teil Hamburg 1727, S. 124–126 »Das Welt=Buch«; 4. Teil Hamburg 1732, S. 323 »Fertigkeit zu lesen in dem Buche der Natur«; 5. Teil Hamburg 1736, S. 339 »Das Welt=Buch« (»das rechte Buch der Weisheit«); 8. Teil Hamburg 1746, S. 448–451 »Die Sprache der Natur«, Str. 1.

4,23: OHNE NEUGIERIGES WISSENWOLLEN] Die Wendung hängt sachlich zusammen mit der Welt-als-Buch-Metapher. Was sich auf der einen Seite als Pathos der Unmittelbarkeit und des »wahren« Wissens zeigt, kommt auf der anderen Seite als Sich-Bescheiden und -Genügenlassen heraus (s. auch die Demutsformeln in n. 1). Cusanus steht hier in der Tradition der in der »Nachfolge Christi« ausgesprochenen Warnungen, vgl. Thomas von Kempen, *De imit. Christi* I 2,2; 3,4; 5,2; 25,2 u. ö. Noch bei Francis Bacon ist der Topos erkennbar in seiner Ablehnung des »pleasure of curiosity«, des bloßen Vergnügens der Neugierde (*Valerius Terminus* I 1; The Works, edd. Spedding, Ellis, Heath, III 222).

4,23 f.: VOM DRANG NACH EINSICHT BEWEGT] Man kann auch übersetzen: »von der Begier, von der Leidenschaft nach Erkenntnis bewegt« (s. auch n. 7,7/8). Das Affiziert-sein des affectus (-a, -um; P. P. P von afficio) ist mitzuhören; »es« hat ihn gepackt. Curiosa inquisitio ist also nicht ein Wissen-wollen von etwas, was dem Menschen zu wissen nicht gebührt; sondern ihr Modus, das unbetroffene, vorwitzige Fragen wird als unangemessen dem inneren Dabei-sein, dem von seinem Gegenstand bereits ergriffenen Fragenmüssen gegenübergestellt. »Affekt« meint die Einheit von intellectus und voluntas, von Verstand und Neigung.

5,9–11: ZÄHLEN – WÄGEN – MESSEN] Vgl. *Weish.* 11,21. Der Vers wird mit Blick auf die geordnete Schöpfung sehr häufig zitiert; vgl. Augustin, *De genesi contra Manichaeos* I 16 n. 26 (PL 34,173–220; 185 f.). Zur Bedeutung des Zitats für den ordo-Gedanken vgl. H. Krings, *Ordo. Philosophisch-historische Grundlegung einer abendländischen Idee,* Hamburg ^{2}1982; Werner Beierwaltes, *Augu-*

stins Interpretation von Sapientia 11,21. In: Revue des Études Augustiennes 15, Paris 1969, S. 51–61. Wie mensura-numerus-pondus als Grundlage der Ordnung der Schöpfung, ihrer Schönheit und Güte, im 13. Jahrhundert weitergedacht wurde, s. bei E. de Bruyne, Etudes d'esthétique médiévale, III, Brügge 1946, S. 99ff.; 153ff.; 217f. – Messen, Zählen, Wägen sind auch die Grundtätigkeiten des menschlichen Verstandes; vgl. Platon, *Respubl.* 602d6, dazu folgende Strophe aus einem Gedicht aus dem 12. Jahrhundert (mitgeteilt bei H. Brinkmann, *Mittelalterliche Hermeneutik,* Darmstadt 1980, S. 49): Creatori serviunt omnia subiecta, / sub mensura, numero, pondere perfecta; / ad invisibilia per haec intellecta / sursum trahit hominem ratio directa. Beachte die Aufnahme von *Röm.* 1,20, der anderen für die Frage nach der Erkenntnis Gottes aus der Schöpfung zentralen Bibelstelle; hierzu *De possest* n. 2 (H 9, S. 3–5).

5,14f.: ZÄHLEN, WÄGEN UND MESSEN KÖNNEN TIERE NICHT] Vgl. *De docta ign.* II 3 n. 108 (H 15b, S. 24); Isidorus Hispalensis (Isidor von Sevilla), *Etymologiarum sive originum libri XX* (ed. W. M. Lindsay, I–II, Oxford [2]1962, 1966) III 4 n. 4.

5,16: WODURCH, WORIN UND AUFGRUND WESSEN] Vgl. *Röm.* 11,36: »aus ihm, durch ihn und zu ihm führen alle Dinge«. Gott ist der Schöpfer, Erhalter und das Ziel alles Geschaffenen. Paulus bedient sich in diesem hymnischen Vers einer alten hellenistischen Gottesformel (ἐκ-διά-εἰς), die in die jüdische Gebetssprache aufgenommen worden war. Belege bei O. Michel, *Der Brief an die Römer,* Meyer KEK, Göttingen [10]1955, S. 255. Der Ternar behält in der Tradition seinen gehobenen, lobpreisenden Klang; vgl. Augustin, *Conf.* I 2 n. 2. (CSEL 33, S. 2, 20–22); *De doctr. Christ.* I 5 (CCSL XXXII 9,6f.: dicitur trinitas haec unus deus, ex quo omnia, per quem omnia, in quo omnia.

5,18: DURCH UNTERSCHEIDUNG] Vgl. *De docta ign.* I 5 n. 14 (H 15a, S. 22). Unterscheidung ist als Prinzip des diskursiven Denkens das Prinzip aller Wissenschaft. Sie ist auch das Prinzip der scholastischen Methode, die im *distinguere* die Erkenntnis voranführt.

5,20f.: WIRD NICHT VERMITTELST DER EINS GEZÄHLT?] Vgl. Aristoteles, *Met.* 1057a3f.: Es ist nämlich die Zahl πλῆθος ἑνὶ μετρητόν. Isidor Hispalensis, *Etymol.* III 3 n. 1: Numerus autem est multitudo ex unitatibus constituta. Thierry von Chartres, *Commentum super Boethii librum De trinitate* (ed. N. M. Häring, Commentaries on Boethius by Thierry of Chartres and His School, Toronto 1971, S. 55–116) III 4 (90,32–34).

5,23–25: IST NICHT DIE EINS ... SO FORT?] Vgl. Platon, *Parm.* 143d8; Augustinus, *De libero arbitrio* II 84 (CSEL 74, S. 57f.); Thierry von Chartres, *Commentum* III 4 (90,28–31).

6,1: DAS EINE DAS PRINZIP DER ZAHL] Vgl. Aristoteles, *Met.* 1021a12f.; Proklos, *In Platonis Theologiam* II 1 (Théologie Platonicienne, par H. D. Saffrey et L. G. Westerink, Paris 1974, S. 8,12) (Cusanus besaß die *Metaphysik* des Aristoteles in verschiedenen lateinischen Übersetzungen in codd. Cus. 182–184, die *Theologia Platonis* des Proklos in cod. Cus. 185); Boethius, *De institutione arithmetica* (hrsg. G. Friedlein, Leipzig 1867; Frankfurt a. M. ²1966, S. 1–173; S. 37,18): omnium horum procreatrix et mater unitas. *De institutione musica* II 7 (ebd., S. 175–371; S. 232,23f.); Johannes Scottus Eriugena, *Periphyseon* III (ed. I. P. Sheldon-Williams/L. Bieler, Dublin 1981, S. 32,1); *De possest* n. 46,5 (H 9, S. 54; h XI 2, 56 und Anm.); s. auch *De mente* 9 n. 118,16 (h²V 174): si tollis unitatem, deficit omnis multitudo.

Im »Prinzip« ist das Woher und das Womit des Zählens zu denken. Das Eine oder die Eins ist Ursprung und erste Zahl zugleich: ein Bestimmtes und zugleich Ursprung alles folgenden. »Principium« ist also zu übersetzen mit »Ursprung und Anfang« (= Ursprung und das Erste, das angefangen hat).

6,15f.: DASS DIE EINHEIT NICHT DURCH EINE ZAHL ERREICHT WIRD] Dieses Axiom, daß das ontologisch Frühere nicht durch das Spätere erkannt werden kann, spricht Cusanus sehr häufig aus; vgl. *De coniect.* II 13 n. 137,4f. (H 17, S. 162); *De fil. dei* 4 n. 72, 29–31 (h IV 54; Übers. H 3, S. 41); s. auch unten Zeile 20–25.

6,21f.: DAS EINFACHE ... FRÜHER ... ALS DAS ZUSAMMENGESETZTE] Vgl. Aristoteles, *Met.* 1015b11f.

6,23–25: KANN DAS ZUSAMMENGESETZE DAS EINFACHE NICHT MESSEN, SONDERN UMGEKEHRT] Vgl. Aristoteles, *Met.* 1052b33–35.

7,2: ÜBERTRAGE] Transferre bezeichnet wie transcendere und transire den Überstieg in den Bereich des Infiniten.

7,8: AUS INNERER BEGIER] S. o. zu n. 4,23.

7,9f.: DIE GEHEIMNISSE DER WEISHEIT] Vgl. *Hiob* 11,6; Thomas von Kempen, *De imit. Christi* II 2,2.

7,10f.: NICHT ALLEN ALLSEITS ZU ERÖFFNEN] Die aus den Mysterienkulten stammende Arkandisziplin (Geheimhaltungspflicht) begegnet mehrfach bei Dionysius, z. B. *De caelesti hierarchia* I 4–5 (PG, 3, 376f.); *De divinis nominibus* I 8 (PG 3,597 C); *Epistula* IX,1

ad Titum (PG 3, 1104 B; 1105 C). Cusanus modifiziert die Regel unter Berufung auf Paulus. Anstelle der Unterscheidung von uneingeweiht und eingeweiht tritt bei ihm diejenige von fleischlich und geistlich sowie die Dialektik der Offenbarung in Verborgenheit; vgl. *Sermo CCLXVI* (Sufficit tibi gratia mea, p II 1 fol. 169^r,13–18). Die Anspielung auf 2. *Kor.* 12,4 (in Zeile 14 mit dem Stichwort »si liceat« noch deutlicher) weist bereits auf das tragende Pauluszitat in n. 17 voraus; s. Anm. zu n. 17,9 f. und n. 10,29 f. Den secreta (= arcana oder abscondita, etwa bei Bonaventura) entspricht in der deutschen Mystik das *toge* (geheime) *wort,* das Gott oder Christus im Herzen spricht, das *zů runen* (Raunen) Gottes in der Seele; Belege bei Banz S. 97 (1756 f.). S. auch *De beryllo* 2 n. 2 (H 2, S. 3); n. 2,1–3 (h X I 1 4) und Apparat.

7,12 f.: ICH BEGEHRE SEHR ... UND ... BIN ENTFLAMMT] Der Redner braucht im uneigentlichen Sinn zwei Begriffe, die für den Laien das Verhältnis des menschlichen Geistes zur Weisheit auszeichnen werden: desiderare und inflammare als zum Wortfeld desiderium – amor fervidus gehörig. Daß Cusanus diese Begriffe hier braucht, ist ein Kunstgriff der Gestaltung, der ein anfängliches Verstehen beim Redner anzeigen soll.

7,20: ALS LEICHT DARZUBIETEN] Durch den Überstieg von einer Stufe der Erkenntnis in die nächst höhere wird Schwieriges leicht. Cusanus nennt in *De docta ignorantia* ein Beispiel dafür (I 14 n. 37, 3–6; H 15a, S. 52). »Leichtigkeit« ist auch das Kriterium des rechten Zugangs zur göttlichen Weisheit. Facilitas ist ein Topos der Mystik, der für Cusanus zentrale Bedeutung hat; vgl. den Eingang des den Mönchen von Tegernsee gewidmeten »Liber pius« *De visione dei* (n. 1; p I fol. 99^r,4 f.): Pandam nunc quae vobis dilectissimis fratribus ante promiseram circa facilitatem mysticae theologiae. Vgl. dazu Johannes Gerson, *De theologia mystica* III cons. 27 (ed. Glorieux III, S. 273): Et hac ratione nominari potest extatica dilectio vel jubilatio vel exsultatio; quae ultra devotionem addit facilitatem et jucunditatem inaestimabilem, inexpressibilem et exsuperantem omnem sensum. Et haec est sapientia Dei in mysterio abscondita. Haec est theologia mystica quam quaerimus. Gersons *Mystische Theologie* gehört neben dem *Itinearium* von Bonaventura zu den Büchern, die Cusanus schon in frühen Jahren besessen hat (vgl. E. Meuthen, *Nikolaus von Kues. 1401–1464. Skizze einer Biographie,* Münster ^{6}1985, S. 14).

In diesem Zusammenhang ist auch gleich hinzuweisen auf den

Begriff des *pandere,* der ebenfalls der Sprache der Mystik zuzurechnen ist. *De vis. dei* beginnt mit diesem Wort: Pandam nunc – ich will Euch jetzt kundtun. Das Wort erscheint auch in *De sap.* n. 8,3 (occulta); n. 33,8 (de deo conceptum, quem habeo). Das Ausbreiten meint ein Offenbaren im Sinne von Entbergen; es steht in Parallele zu *secreta aperire* bzw. *detegere* (n. 7,8f.14). Das entbergende Zeigen und Weisen, das Eröffnen des Schatzes (*De vis. dei,* ebd.); zu *thesaurus,* s. u. Anm. zu n. 11,19–23) kann nur denen gegenüber geschehen, die »würdig« sind, die der Eifer nach Gott treibt. »Vos, quos scio zelo dei duci« (*De vis. dei,* ebd.) entspricht der Aussage »Nisi ex affectu oraveris« in unserem Text (n. 7,7). Denen, die keine Erfahrung haben (den *imperiti* im Dionysius-Zitat in Anm. zu n. 7,10f.), die nicht die Süße einer von der ewigen Weisheit in ihnen erweckten Sehnsucht spüren (s. u. n. 15,1–11/13), die nicht schon von ihr gezogen zu ihr hin eilen (s. u. n. 10,21f./29f.), denen kann die Tiefe ihres Geheimnisses nicht eröffnet werden. Wer nicht erfahren *hat,* erfährt nicht. Es liegt alles daran, in den Zirkel hineinzukommen. Pandam nunc – solum seipsum pandere potest (*De vis. dei,* ebd.), ich will eröffnen – er allein kann sich eröffnen.

Mit der Kreisbewegung des mystischen Denkens selbst hängt es zusammen, daß auch die Kommentierung dieses Textes jeweils vor- und zurückgreifend das Gemeinte umkreist, um es so in das Licht seiner eigenen Bewegung hineinzuheben.

Der Gebrauch von *pandere* im beschriebenen Sinn hält sich bis in die Zeit des Barock; ein schöner Beleg findet sich im Emblembuch von Johann Mannich (Nürnberg 1624). M(agister) Daniel Schwenter, Linguar(um) Oriental(ium) Professor, beginnt sein Gedicht *Ad Authorem:*

Delitium SOPHIAE, Mysteria condita pandens
NUMINIS aeterni; nil triviale loquens.

Daß Schwieriges leicht wird, s. u. n. 47,7f., ist ebenfalls ein Topos der Mystik, und zwar der Nachfolge-Frömmigkeit. Cusanus wendet ihn auf die Erkenntnis, wobei deutlich bleibt, daß die vollkommene facilitas erst in der visio beatifica, der Schau der ewigen Seligkeit, erreicht sein wird. Das Motiv entstammt dem Gedicht, das der Forschung als *Kreuztragende Minne* bekannt ist, vgl. die Fassung in der Handschrift Einsiedeln 710, mitgeteilt bei U. Ulbert-Schede, *Das Andachtsbild des kreuztragenden Christus in der deutschen Kunst. Von den Anfängen bis zum Beginn des 16. Jahrhunderts,* Diss. 1968, S. 136ff. Die Liebe macht die »bürd süß und

(ge)ring«, und der Bräutigam verspricht, »Ich wil dir trúlich helffen tragen« (das Motiv hat sich erhalten in der Arie Nr. 57 »Komm, süßes Kreuz, so will ich sagen« der Bachschen Matthäus-Passion).

7,23f.: DAS UNBERÜHRBARE ... BERÜHRT] *De docta ign.* I 4 n. 11,4–7 (H 15a, S. 16).

9,3f.: ALLE MENSCHEN ... VERLANGEN] Vgl. Aristoteles, *Metaphysik* 980a 21; *Sermo LXXXIII* (Ego sum panis vivus, p II 1 fol. 24^r,8f.); *De possest* n. 38,7f. (H 9, S. 44); *Hist. Wörterbuch d. Phil.*, Bd. 2, 1972, Art. »Desiderium naturale«, Kol. 118–130 (P. Engelhardt).

9,5: MIT SO GROSSER BEGIER DES GEISTES SUCHEN] Vgl. *De quaerendo deum* 3 n. 39, 5–9 (h IV 28; Übers. H 3, S. 20): ... non aliter recte ambulatur ad sapientiam attingendam, nisi per desiderium maximum quaeratur.

9,6–22: HÖHER IST ALS ALLES WISSEN ... UNMEINBAR] Als Modell dieses Passus sind entsprechende Reihen bei Johannes Scottus anzusehen, vgl. *Periphyseon* III (58,12ff.; 162,1ff.).

9,7f.: IN ALLER REDE UNAUSSPRECHLICH ... UNERKENNBAR] Vgl. *De vis. dei* 9 n. 35f. (p I fol. 103^v,3–8). Die »höchste Höhe«, in der die Weisheit wohnt (s. o. Zeile 1f.), ist die einfachste und absoluteste, d. h. über aller Differenz liegende Unendlichkeit. Wo sie erfahren wird, verstummt die Sprache; vgl. W. Beierwaltes, *Reflexion und Einung. Zur Mystik Plotins,* in: Grundfragen der Mystik, Einsiedeln 1974, S. 25. S. ferner *De deo abscondito* n. 10,1–7 (h IV 7; Übers. H 3, S. 4). Cusanus fährt in *De vis. dei* im angeführten Zitat fort: »So erfahre ich, daß ich notwendig in die Dunkelheit eintreten muß ... und dort die Wahrheit suchen, wo die Unmöglichkeit begegnet«, jenseits auch des höchsten Aufstiegs der Vernunft. S. ferner unten in Anm. zu n. 19,14f.

9,25: IN ALLEM DENKEN ... UNAUSDENKBAR] Vgl. Dionysius Areopagita, *De div. nom.* I 4 (PG 3, 592 D).

10,3f.: VON SOLCHEN HÖCHSTEN BETRACHTUNGEN] S.u. zu n. 28,14f.

10,11: WEISHEIT IST, WAS ZU SCHMECKEN WEISS] Die etymologische Deutung von sapientia als ein Wissen, das aus dem Schmekken, aus der Erfahrung kommt, ist in der Tradition sehr verbreitet; vgl. Isidor von Sevilla (Isidorus Hispalensis), *Etymol.* X n. 240. Cusanus hat sie vielleicht der unter Augustins Namen überlieferten Schrift *De spiritu et anima* entnommen (PL 40, 779–832), die er in cod. Cus. 55 besaß und aus der er in den Idiota-Schriften mehr-

fach zitiert; vgl. cap. 11 (786): Sapientia namque est amor boni sive sapor boni, a sapore siquidem dicitur. Mentis visio est intelligentia; gustus, sapientia est. Illa contemplatur, ista delectatur. Thomas von Aquin, *S. theol.* I q. 43 a. 5 ad 2 (cod. Cus. 68 und 73) nennt die *sapientia* eine *experimentalis notitia,* ein auf Erfahrung gegründetes Wissen, Bonaventura, *Sent.* III d. 34 p. I a. 2 q. 2 arg. 2 (III 747a; cod. Cus. 76) ordnet sie als *potentia affectiva* den affektiven Seelenkräften zu. Vgl. Jan van Ruusbroec, *Die Chierheit der gheesteliker brulocht* (Amsterdam 1917; deutsche Übertragung: Jan van Ruisbroeck, *Die Zierde der geistlichen Hochzeit und die kleineren Schriften,* hrsg. F. M. Huebner, Leipzig 1924; nach Abschluß des Manuskripts erschien: Jan van Ruusbroec, *Die Zierde der geistlichen Hochzeit.* Nach dem flämischen Urtext neu übersetzt von Marijke Schaad-Visser und mit einem Nachwort versehen von Alois M. Haas (S. 167–191). Einsiedeln 1987), Ander Boec LXVII *Vander gaven der wijsheit* (S. 110): ... dat es die gheest der smakender wijsheit; ... met wijsheden ende met gheesteliken smake (die lateinische Übersetzung *De ornatu spiritalium nuptiarum,* Köln 1552 bietet II 71 (359) die geläufigen Begriffe *sapida scientia* und *spiritualis sapor;* die deutsche Übertragung II 69 (359): Geist der schmeckbaren Weisheit; geistliches Schmecken). S. auch das Gerson-Zitat in Anm. zu n. 15,11 f.; *Cribratio Alk.* II 17 n. 145,16 f. (h VIII 118): non resurgit homo ad vitam intellectualem nisi in sapientia, quae est sapida scientia, ut se sapiat et sciat vivere.

10,12–15: UND MAN DARF ... AUFGRUND VON SCHMECKEN] Vgl. Thomas von Kempen, *De imit. Christi* II 1,7; s. u. n. 19.

10,16 f.: AUF DIE WEISE ALLES ..., DASS SIE NICHTS VON ALLEM IST] Dieser Formel der Theologia negativa des Dionysius Areopagita bedient Cusanus sich häufig. Vgl. etwa *De div. nom.* I 5 und 6 (PG 3,593 C; 596 C. Nikolaus besaß die Schriften des Dionysius in cod. Cus. 43 in der Übersetzung des Ambrosius Traversari sowie in einer weiteren zeitgenössischen Übersetzung in cod. Cus. 44; Auszüge aus der Übersetzung von Thomas Gallus von Vercelli sowie der des Robert Grosseteste, beide 13. Jh., lagen ihm in cod. Cus. 45 vor). In seinem Exemplar des *Opus tripartitum* von Meister Eckhart (cod. Cus. 21) notierte Cusanus sich am Rand von fol. 100va: quomodo deus in omnibus et tamen in nullo (Meister Eckhart, *Expositio Sancti Evangelii secundum Iohannem* n. 206; LW III, edd. K. Christ, J. Koch, Berlin, Stuttgart 1936, S. 174,4–7). Eckhart führt hier aus: »Es ist zwar Gott in einem jeden, sofern es seiend ist, in

keinem aber, sofern es dieses bestimmte Seiende ist ...« Als principium ist Gott *in* allem und ist doch über alles erhaben, sofern er sich nicht in dieses oder jenes besondert, sondern selbst differenzlos die absolute Differenz zum Gesamt des Seienden ist. Wir können also die Übersetzung unserer Textstelle auch schärfer fassen: *nihil omnium* hieße dann nicht nur »nichts von allem«, sondern »das Nichts von allem«, was eine bestimmte Aussage über die absolute Transzendenz des Einen oder Gottes ist. Vgl. Plotin, *Enneaden* VI 7, 32, 12f. Der Weg des Denkens zu diesem Einen oder Nichts ist der Weg der Abstraktion, an dessen Ende der Sprung über die »Mauer des Paradieses« liegt, der Überstieg in und über den Bereich der *coincidentia oppositorum*; vgl. *De vis. dei* 9 n. 37; 12 n. 48; 13 n. 55 (p I fol. 103v,17; 104v,37–40; 105v,36f.). W. Beierwaltes, *Eriugena und Cusanus,* in: Eriugena Redivivus. Zur Wirkungsgeschichte seines Denkens im Mittelalter und im Übergang zur Neuzeit, hrsg. von W. Beierwaltes, Heidelberg 1987, S. 311–343; 321. Vgl. auch *De possest* n. 12,1–8; 73,10–19 (H 9, S. 14; 90); dazu neuerdings K. Kremer, *Gott – in allem alles, in nichts nichts. Bedeutung und Herkunft dieser Lehre des Nikolaus von Kues,* in: MFCG 17, 1986, S. 188–219.

10,17f.: DURCH DIE WEISHEIT ... IN IHR] S. o. n. 5,16 und Anm. Zur trinitarischen Auslegung von *Röm.* 11,36 vgl. Augustin, *De doct. christ.* I 5,5 (CCSL XXXII 9,4–7).

10,23f.: SEI ES SINNENFÄLLIG, VERSTANDESMÄSSIG ODER VERNUNFTHAFT] Zur Unterscheidung der verschiedenen Seelenvermögen (potentiae animae) vgl. Platon, *Respubl.* 511d–e; Boethius, *Philosophiae consolatio* V pr. 4,26–30 (CCSL XCIV, 97, 69–80; dieses Werk besaß Cusanus in cod. Cus. 191). S. auch unten n. 25,23–32.

10,27f.: DER DUFT, VOM DUFTENDEN AUSGESANDT] Der lateinische Begriff *multiplicatus* entstammt der sensualistischen Abbildtheorie in der Wahrnehmungslehre, d.h. der Konstruktion, daß Wahrnehmung dadurch zustande kommt, daß ein Ding seine similitudines (εἴδωλα) aussendet, Ähnlichkeitsbilder seiner selbst, in denen es sich vervielfältigt, die vom wahrnehmenden Sinn aufgenommen werden. Vgl. dazu Norbert Henke, *Der Abbildbegriff in der Erkenntnislehre des Nikolaus von Kues,* Buchreihe der Cusanus-Gesellschaft III, Münster 1969, S. 2; 32. S. auch *De mente* 4 n. 77,11f. (h ²V 118).

10,29f.: DEM SALBENDUFT FOLGEND ZUR SALBE LÄUFT] Vgl. *Hld.* 1,3. Der Vers, besonders der von Nikolaus hier nicht mitangeführte

Anfang, ist seit Augustin ein wichtiges Traditionszitat und spielt in der Gnadenlehre und in der Frömmigkeit eine große Rolle. Vgl. Augustin, *Tractatus in Iohannis Euangelium,* tract. XXVI 2; 4f. (CCSL CXXIV 260–262), zu *Joh.* 6, 44. (Dieses Werk besaß Cusanus in cod. Cus. 32.) Im Zusammenhang der Frage, wie Gezogenwerden und Freiwilligkeit zusammenzudenken sind, kommt Augustin hier auf die Beziehung des Glaubens zum Willen und den Affekten zu sprechen. Dabei bezieht er sich auf *Hld.* 1,4 (Vulgata 1,3): Zieh mich dir nach – trahe me post te. Christus ist das Mittel, der »Wohlgeruch«, durch den uns Gott lockt. Die Offenbarung Gottes in seinem Sohn ist selbst die Attraktion: Ista reuelatio, ipsa est adtractio. Ramum uiridem ostendis oui, et trahis illam. Nuces puero demonstrantur, et trahitur; et quo currit trahitur, amando trahitur, sine laesione corporis trahitur, cordis uinculo trahitur. – Bernhard von Clairvaux hat das *Trahe me post te* auf die Nachfolge Jesu bezogen. Diese Auslegung ist für Predigt, Dichtung und Ikonographie bis ins 18. Jahrhundert hinein bestimmend gewesen. Sie hat ihre große Verbreitung und Volkstümlichkeit u. a. dem Lied *In dulci iubilo* zu verdanken (GL 142, deutsche Version EKG 26). Strophe 2 lautet: O Jesu parvule, / Nach dir ist mir so weh. / Tröst mir mein Gemüte, / O puer optime, / Durch alle deine Güte, / O princeps gloriae. / Trahe me post te, / Trahe me post te. Die über die Weihnachtsspiele und das Kindelwiegen unters Volk gekommene Cantio war ursprünglich für den Gesang im Kloster bestimmt. Die älteste uns bekannte Handschrift, die es überliefert, ist das Fragment eines Nonnengebetbuchs aus der Zeit um 1340 (MS Kloster Medingen, Privatbesitz Konrad Ameln). K. Ameln hat jüngst darauf aufmerksam gemacht, daß Heinrich Seuse in seiner *Vita* von einer Vision berichtet, in deren Mittelpunkt diese Cantio steht (K. Ameln, *Die Cantio »In dulci iubilo«,* in: JLH 29, Kassel 1985, S. 23–78; hier S. 54–56). Vgl. Heinrich Seuse, *Vita* Kap. 5 (hrsg. K. Bihlmeyer, Stuttgart 1907, S. 7–195; S. 21): Es erschien ihm ein Jüngling, der gab sich wie ein himmlischer Spielmann, von Gott zu ihm gesandt. Mit ihm kamen eine Menge anderer stolzer Jünglinge (Engel). Sie luden ihn ein, ihnen Gesellschaft zu leisten und »mit in och himelschlich (zu) tanzen ... der jungling vie an ein frölichez gesengeli von dem kindlin Jesus, daz sprichet also: In dulci jubilo etc. ... Der vorsenger ... sang vor und sú na, und sungen und tanzeten mit jublierendem herzen ... Dis tanzen waz nit geschafen in der wise, als man in diser welt tanzet; ez waz

neiswi ein himelscher uswal und ein widerinwal in daz wild abgrúnd der götlichen togenheit.«

In diesem Erfahrungshorizont ist das Zitat *Hld.* 1,3 (4) an unserer Stelle zu sehen. Der Hinweis auf Parallelen bei Heinrich Seuse besagt dabei nicht, daß der Erkenntnisweg des Cusanus der Weg der mystischen Vereinigung sei. Wohl aber deutet die Sprache des Cusanus besonders in Buch I von *De sapientia* darauf hin, daß er seine philosophische Reflexion an eine als »mystisch« zu bezeichnende Erfahrung anknüpft: an das Erfahren*haben*, Geschmeckt*haben* der Gegenwart Gottes oder der Freude des Heiligen Geistes, das hermeneutisch dem Suchen nach Erkenntnis voraufliegt (s. u. zu n. 27,9 f.). Dabei ist auch zu bedenken, daß *Sapientia*, die ewige Weisheit, von der theologischen Spekulation seit alters mit dem *Logos*, der zweiten Person der Trinität, gleichgesetzt und das Hohelied, besonders in der Nachfolge Bernhards, in der Auslegung auf Christus als Bräutigam und die Kirche oder die einzelne gläubige Seele als Braut bezogen wird; vgl. etwa Bonaventura, *Itin.* IV 5 (V 307b). Und dies ist nach der Hermeneutik des vierfachen Schriftsinns der mystische Sinn des Canticum canticorum. – Noch ein Blick auf Heinrich Seuse: Man las bei Tisch von der Weisheit, »da von sin herz ingrundlich bewegt ward« (ebd. Kap. 3, S. 13,26 f.; s. o. n. 4,17 f./23 f.. 7,7/8), und sie zeigte sich seinen inneren Augen so: »si swepte hoh ob ime in einem gewúlkten throne, si luhte als der morgensterne und schein als dú spilndú sunne; irú krone waz ewikeit, ire wat waz selikeit, irú wort süzzekeit, ire umbfang alles lustes gnuhsamkeit. Si waz verr und nahe, hoh und nider, si waz gegenwúrtig und doch verborgen; si liess mit ir umb gan, und moht si doch nieman begriffen.«

Zu »innere Augen« vgl. *oculi mentis* n. 29,17; wichtig auch »gnuhsamkeit« als Aequivalent für *sufficientia* n. 31,16. Zu *Trahe me post te* vgl. auch Thomas von Kempen, *Orationes et meditationes de vita Christi* II 2,2 (ed. M. I. Pohl, *Opera omnia,* vol. 5, Freiburg 1902, S. 341,20–342,3). Beachte die Stichworte desiderium, fervens amor, visio, satiari, quietari.

Das Motiv des Tanzes in der von Seuse mitgeteilten Vision ist in der Tradition des intelligiblen Tanzes zu verstehen, der die Einung des Sehenden mit dem Gesehenen symbolhaft darstellt. Dazu: W. Beierwaltes, *Proklos. Grundzüge seiner Metaphysik,* Philosophische Abhandlungen 24, Frankfurt am Main, [2]1979, S. 212 ff., Das Phänomen des intelligiblen Tanzes; ders., *Reflexion und Einung,*

S. 29. Hier u. a. der Hinweis auf Dante, *Div. Com.* Parad. 30 und 31. Weitere Belege bei Banz 1800f. (S. 98–100); s. hier auch Tafel III: Der kreuztragende Christus zieht an einem Strick die ebenfalls ihr Kreuz tragende Minnende Seele hinter sich her. Das *Trahe me post te* (*Hld.* 1,3) als In-die-Nachfolge-ziehen hat im Spätmittelalter ikonographisch die Formulierung gefunden: Christus und die Seele (eine weibliche Gestalt) sind durch einen Strick (= der »Minne Band«) miteinander verbunden. Die eine Gestalt (meist Christus) hält den Strick in der Hand, dessen anderes Ende um die Taille der zweiten Gestalt (meist der Seele) geschlungen ist. Diese Bildformulierung bleibt auch nach der Reformation Gemeingut; vgl. Heinrich Müller, *Himmlischer Liebes=Kuß,* Frankfurt a. M. und Rostock 1659, Kupfer XIII und Hermann Hugo, *Pia desideria,* Köln 1645, Kupfer S. 68 zu *Ps.* 118,5 (Vulg.). Noch die in ihrer doppelchörigen Anlage stark von der Hohelied-Mystik her geprägte *Matthäus-Passion* von J. S. Bach enthält Sätze, denen stilisierte Tanzrhythmen zugrunde liegen. Auch dies ist vielleicht als symbolischer Hinweis auf die ersehnte Vereinigung der gläubigen Seele mit Jesus zu deuten.

Zum Zitat *Hld.* 1,3 (4) in unserem Text vgl. auch das Gerson-Zitat in Anm. zu n. 19,10. Als eine der gebräuchlichen Umschreibungen der mystischen Schau nennt Gerson hier *currere in odorem unguentorum suorum.* – Weitere Literatur zur *Kreuztragenden Minne* bei F. O. Büttner, *Imitatio pietatis. Motive der christlichen Ikonographie als Modelle zur Verähnlichung,* Berlin 1983, S. 59f.

10,31: DA SIE IN ALLEM WIDERSTRAHLT] Vgl. Bonaventura, *Itinerarium* c. 2 n. 10 (V 298b); *Sermo CXVI* (Venit filius hominis quaerere, p II 1 fol. 78v,17f.): Sapientia igitur, quae attingit a fine usque ad finem et omnia disponit, omnia ordinavit ad se, ut in omnibus reluceat. An der finalen Formulierung: »damit, auf daß sie in allem widerstrahle« kommt die positive Wertung des endlichen Seienden durch Cusanus heraus (s. auch u. zu n. 25,4f.). Vgl. des Cusanus Auslegung der Worte aus dem Schöpfungsbericht »Und Gott sah, daß es gut war« (1. *Mose* 1,10 usw.) in *Dir. specul.* n. 23 (h XIII, 55,11–14): Moyses ... singula creata bona dicit, ut universum esset gloriae et sapientiae Dei perfecta revelatio. Die Intention der Bilder vom Spiegel und Widerstrahlen ist die positive Aussage, daß Gott sich in seiner Schöpfung offenbaren und in ihr erkannt sein will. Vgl. *De possest* n. 72,10f. (H 9, S. 88); R. Steiger, *Die Lebendigkeit des erkennenden Geistes* (S. 169–171); s. auch ob. n. 4,12–15. Weiteres unten zu n. 14,6f. und 25,16–19.

10,31–33: AUFGRUND EINES GEWISSEN VORGESCHMACKS DER WIRKUNGEN] Hinter der Formulierung steht das Lehrstück, daß Gott aus seinen Wirkungen, aus der Schöpfung erkannt wird. Vgl. *Sermo CLV* (Quasi myrrha electa, p II 1 fol. 78r,38 f.): Videtur in sapientia increata mundus ut in causa causatum, videtur in mundo sapientia ut in causato causa. Cusanus hat in *De visione dei* beide Richtungen des Sehens oder Gehens so erklärt (11 n. 45; p I fol. 104v,11 ff.): ... Intro de creaturis ad te creatorem, de effectibus ad causam; exeo de te creatore ad creaturam, de causa ad effectus. Im ersten Fall geht der Blick darauf, daß Gott die alles einfaltende Kraft ist (virtus complicans omnia; dazu s. u. n. 23,11 f.); im zweiten Fall richtet sich der Blick auf die ausfaltende Kraft, die virtus explicans (dazu s. u. n. 25,16–19). Eintreten und Herausgehen fallen zusammen im Blick über die Mauer der Koinzidenz, die die Gegensätze umgibt, wo Gott IST, abgelöst (absolutus) von allem was man sagen und denken kann (ebd. n. 46).

10,33 f.: DASS WIR ... ZU IHR EILEN] Vgl. Meister Eckhart, *Expositio libri Sapientiae* n. 78 (LW II S. 301–634; 409,9–410,11), wo u. a. ebenfalls *Hld.* 1,3 angeführt wird; ders. *Sermo XXXIV* 3 n. 349 (LW V 303,3–15). Durch den Geruch, den Geschmack, den Widerschein seines Lichtes auf dem Weg werden wir schon immer affiziert und angezogen. Noch deutlicher spricht Cusanus in einer späten Predigt aus, daß die *praegustatio* auf einem vorgängigen gnädigen Handeln Gottes mit uns beruht; vgl. *Sermo CCXVII* (Respice, p II 1 fol. 130r,2–7): spiritus sanctus omnibus in dei amorem convertendis caritatem influit. Deus enim absconditus aliter non fit nobis suavis et diligibilis, nisi praegustetur in spiritu nostro odor suavitatis ab ipso immissus ...

11,2 f.: EINEN GEWISSEN NATURGEGEBENEN VORGESCHMACK] Die Formulierung ist nicht so zu verstehen, als sei die *praegustatio* mit der menschlichen Natur als solcher gegeben. Vielmehr tritt immer eine *immissio* oder *illuminatio* von seiten Gottes dazu; vgl. Anm. zu n. 10,33 f. und n. 11,7 f. und *Sermo LXII* (Maria optimam partem elegit, p II 1 fol. 68r,1–3. 10–12); Augustin, *De lib. arb.* II 103 (CSEL 74, S. 62,14–17): ... sapientiae notionem in mente habemus impressam. S. u. n. 17,4 f.

11,4: NACH DER QUELLE IHRES LEBENS] Vgl. *Ps.* 36 (35 Vulgata),10; *Sprüche* 14,27.

11,4 f.: DIESE WÜRDE SIE OHNE DEN VORGESCHMACK NICHT SUCHEN] Vgl. Brief an Kaspar Aindorffer vom 22. 9. 1452 (ed. E. Van-

steenberghe, Autour de la docte ignorance, BGPhMA XIV 2–4, Münster 1915, S. 111–113; 111 f.). Nur was durch voraufliegende Erkenntnis oder Erfahrung schon als ein Gut erstrebenswert erscheint, bringt den Menschen in Bewegung. In diesen Zusammenhang gehört die Diskussion, ob die Erkenntnis Gottes oder die Liebe zu Gott früher ist, die Diskussion um den Vorrang des Intellekts oder des Willens. Vgl. dazu u. Anm. zu n. 12,7 f.; Brief an Bernhard von Waging vom 18. 3. 1454 (a. a. O., S. 135).

11,6 f.: WENN SIE SIE FÄNDE, ... GEFUNDEN HAT] Erkennen ist Wiedererkennen und beruht auf Erinnerung; vgl. Augustin, *Conf.* X 17 f. (CSEL 33, S. 246 f.); Brief an Kaspar Aindorffer vom 12. 2. 1454 (Vansteenberghe S. 121 f.).

11,7 f.: DAHER BEWEGT SICH DIE VERNUNFT ZU DER WEISHEIT HIN] Vgl. *Sermo LXXXIII* (Ego sum panis vivus, p II 1 fol. 24r,8–17): Desiderium sapientiae est in omnibus hominibus ... Est quaedam vocatio seu notio seu attractio nobis cognata, ut sit a deo patre creatore data. Quare nisi sic traheremur, numquam ad sapientiam perveniremus. Habemus igitur quandam cognatam notitiam sapientiae, ad quam movemur (zu verbessern aus monemur) ...

11,9–11: UND SÜSS IST ES ... STÄNDIG AUFZUSTEIGEN] Die positive Möglichkeit der unendlichen, wenngleich nie an ihr Ende kommenden Angleichung des menschlichen Geistes an Gott oder die Wahrheit ist ein Grundgedanke des Cusanus; vgl. *De mente* 13 n. 149, 14–22 (h^2V 204 f.); *Sermo CLXII* (Ubi venit plenitudo temporis, p II 1 fol. 89v,24–27).

11,14–16: DANN FREUT ER SICH ... WAHRNIMMT] Vgl. *Sermo CCLIV* (Pax dei, quae exsuperat, p II 1 fol. 154v,3–5).

11,19–23: WIE WENN JEMAND ... HÖCHST ERWÜNSCHTES BEGREIFEN] Das Beispiel von der Freude über den unzählbaren und unerschöpflichen Schatz führt Cusanus häufig an, vgl. *De vis. dei* 16 (p I fol. 107v,5 ff.); *De beryllo* 31 n. 53 (H 2, S. 64); *De venatione sapientiae* 12 n. 33 (H 14, S. 50). Gerade das Wissen von der *Un*begreifbarkeit ist das freudenreichste Begreifen: tanto mihi fit gratior, quanto infinitior apparet. Cusanus bedient sich der Metapher vom Schatz im Acker entsprechend *Matthäus* 13,44, wo sie ein Gleichnis des Himmelreichs ist, zur Bezeichnung der unendlichen sich mitteilenden Güte und Gegenwart Gottes. Der ewige Ursprung selbst führt die Sehnsucht zu sich (s. u. n. 15,1–8). Zum Stichwort *immensurabilem* vgl. *Sermo CCLXV* 1 (Sic currite, ut comprehendatis, p II 1 fol. 167r,6–13; vgl. dazu 2. *Kor.* 12,2–4; *Kol.* 2,2 f.; *Röm.* 11,33).

11,29–31: UND DAS IST DAS FREUDENREICHSTE BEGREIFEN ... BEGREIFT] Vgl. Jan van Ruusbroec, *Die Chierheit,* Ander Boec XXXIX (S. 77); *De ornatu* II 42 (S. 342); *Die Zierde* II 41 (S. 315).

11,26/32: Zu *comprehendere incomprehensibilem* vgl. *De vis. dei* 17 n. 71 (p I fol. 108ʳ,1 ff.) über die unendliche amabilitas Gottes und die Dreieinheit von amor amans, amor amabilis und amoris amantis et amabilis nexus.

12,3 f.: IN DEM ... WIR SIND UND UNS BEWEGEN] Vgl. *Apg.* 17,28.

12,5: ANFANG, MITTE UND ENDE] Vgl. Platon, *Parmenides* 145 a 8; 153 c 2; Eusebius von Caesarea, *De praeparatione evangelica* VIII (cod. Cus. 41 fol. 109ʳᵇ,17 f. Cusanus hat diese Worte am Rand angestrichen). Johannes Scottus, *Periphyseon* I (edd. I. P. Sheldon-Williams, L. Bieler, Dublin 1968, S. 58, 20–29); in seinem heute im Britischen Museum befindlichen Exemplar (cod. Londin. addit. 11 035 fol. 78ᵛ) hat Nikolaus am Rand notiert: deus a quo per quem et ad quem omnia mouentur. W. Beierwaltes, *Proklos,* S. 72–89. S. auch o. Anm. zu n. 5,16; *De docta ign.* I 21 n. 64 (H 15a, S. 86); *De quaer. deum* 1 n. 31,13 f. (h IV 22) und Anm., Übersetzung in H 3, S. 15. Zur Übersetzung von *principium* mit »Ursprung« und »Anfang« vgl. R. Haubst, *Das Bild des Einen und Dreieinen Gottes in der Welt nach Nikolaus von Kues,* Trier 1952, S. 88–98; ders., *Die Christologie des Nikolaus von Kues,* Freiburg 1956, S. 170–175.

12,7 f.: GESCHMECKT DURCH DAS GEFÜHL ... BEGRIFFEN DURCH DEN VERSTAND] Vgl. Bonaventura, *Sent.* III d. 35 a. un. q. 1 concl. (III 774 a/b). Das innere Erfassen der Weisheit ist actus partim cognitivus et partim affectivus, der im Erkennen beginnt und in der Liebe sich vollendet, secundum quod ipse gustus vel saporatio est experimentalis boni et dulcis cognitio (Zu *experimentalis cognitio* s. u. Anm. zu 15,11 f.). Cusanus führt das *partim-partim* im Sinne seines Koinzidenzgedankens zu einer höheren Einheit; vgl. *Sermo CCLXXX* (Sublevatis oculis, p II 1 fol. 184ʳ,10–18). Zum Zusammenhang von *gustus* und *affectus* vgl. Thomas von Kempen, *De imit. Christi* III 5,3; 6; 6,2; 34; Meister Eckhart, *Expositio libri Genesis* I n. 189 (LW I, S. 185–444; 333,1–3). Zur Wiedergabe von affectus mit »Gefühl« vgl. Jan van Ruusbroec, *Die Chierheit,* Ander Boec VI (S. 44): die ghevoellike crachte; LXIX (S. 113): met ghevoelliker welheit ende doregaende smake. Zu *incomprehensibiliter comprehendere* vgl. *Dir. Spec.* 8 (h XIII 18,1–3).

12,19 f.: WO SIE MEINEN ... SEI] Eigentlich »wo sie die Freude des Lebens wähnen«.

12,19 f.: DIE FREUDE DES LEBENS] Vgl. *Sermo LVII* (Memoriam fecit mirabilium, p II 1 fol. 60ᵛ,22 f.); *Sermo CLXVII* (Non in solo pane, p II 1 fol. 94ʳ,30–32): Unde excitatio laetitiae est infusio vitae. Movetur igitur continue intellectus vitaliter et laete, quando obiectum desideratissimum semper adest ei. S. auch unten n. 13,7; 15,3; 27,18 f.

12,26: DIE NICHT AUSGEHENDE SPEISE DES LEBENS] Vgl. *De fil. dei* 2 n. 57,11–13 (h IV 44; Übers. H 3, S. 32); *De pace fidei* 2 n. 7 (h VII 9,4–7); *Sermo CCXIII* n. 11 (CT I 2/5, S. 94,14–18): Nam veritas est delectabilissimus et immortalis cibus vitae eius: a quo enim habet esse ipse vivus viator, ab illo pascitur. Via igitur viva, quae est et veritas, est Verbum Dei, quod est et Deus, et est »lux hominum« in via ambulantium. *De ven. sap.* 1 n. 4, 21 f. (H 14, S. 8). Zur Metapher von der Wahrheit als Speise des Geistes vgl. Platon, *Phaidros* 247d4 (Nikolaus besaß den Dialog in cod. Cus. 177); Augustin, *Conf.* IX 10,24 (CSEL 33, S. 216,14–21).

13,1 f.: SEIN – LEBEN – ERKENNEN] Zum Ternar *esse – vivere – intelligere* vgl. Thomas von Aquin, *In De causis* prop. III n. 80; prop. XVIII n. 344; Heimeric van den Velde, *Colliget principiorum* (cod. Cus. 106 fol. 263ʳ,30–32): Esse, vivere et intelligere sunt tria participationis naturae divinae entis, viventis et intelligentis vestigia sive creata genera essentialiter ordinata. *De deo absc.* 1 n. 6,4 (h IV 5; Übers. H 3, S. 3) und Anm.; *De ven. sap.* 31 n. 93,7 ff. (H 14, S. 142) u. ö. Für das Lebendige ist Sein Leben; vgl. Aristoteles, *De an.* 415b13; für den Intellekt ist Leben Erkennen; vgl. *De dato patr.* 1 n. 92,4 (h IV 67) und Anm.: intelligere vita est intellectus. Der Ternar erscheint in *De vis. dei* an entsprechender Stelle, c. 5 n. 13 (p I fol. 100ᵛ,19 f.).

13,2 f.: ERKENNEN IST GESPEISTWERDEN MIT WEISHEIT UND WAHRHEIT] Alles Seiende strebt nach dem, ohne das es nicht sein kann. So streben alle Menschen von Natur aus nach der Weisheit, weil sie für den Geist das Leben ist. Ohne die Wahrheit, das lebenspendende Wort (verbum vitae) oder das geistige Brot (panis intellectualis), das ist die Weisheit, kann er nicht am Leben erhalten werden; vgl. *De pace fidei* 6 n. 16 (h VII 15,7–11). In der Gleichsetzung von sapientia – veritas – verbum – panis bereitet sich die dann in n. 21 f. ausgesprochene Identifizierung der sapientia mit dem Sohn, der 2. Person der Trinität, vor. Die johanneische Begrifflichkeit assoziiert Stellen wie Joh. 6,35; 14,6; 6,68; 1,1. Vgl. auch *Sermo CXVIII* (Tu es Petrus, p II 1 fol. 21ᵛ,4–13): … in verbo veritas pascit intellectum. Ob hoc

fuit Christus verbum et veritas. Verbum creatoris et veritas omnium scibilium ... Et non caperetur verbum in intellectu, nisi esset veritas. Nam quidquid intellectus appetit, veritas est ... Unde veritas est vita intellectus. *Sermo CCLXXX* (Sublevatis oculis, p II 1 fol. 183^{v},32 f.).

13,5: KOSTET] Vgl. *Sermo CCXIII* n. 14 (CT I 2/5, S. 98,18–21): Verbum autem caro factum vocat hoc esse intellectuale per gratiam ad sui consortium, ut scilicet degustet in fonte paterno dulcedinem divinae vitae suae, quae filiis Dei communicatur.

Mit den Erkenntnis und Erfahrung verknüpfenden Begriffen des Wortfeldes *gustus* hängt der seit Bernhard von Clairvaux und den Viktorinern zentrale Begriff der *dulcedo* zusammen (s. u. n. 15,8; 16,8 f.; 17,13). Dieser gehört in den Bereich der mystischen Frömmigkeit und ihrer Jesusliebe, die im 14. Jahrhundert zunehmend zugleich eucharistische Frömmigkeit ist (Verbreitung der Heiligblutverehrung, Aufkommen des Bildtypus der Gregorsmesse; vgl. G. Schiller, *Ikonographie der christlichen Kunst,* Bd. 2, Die Passion Jesu Christi, Gütersloh ^{2}1983, bes. S. 198 ff. arma Christi – Schmerzensmann; *Die Messe Gregors des Großen. Vision, Kunst, Realität.* Katalog und Führer zu einer Ausstellung im Schnütgen-Museum der Stadt Köln, Köln 1982). Dies läßt sich an dem Vorkommen des Traditionszitates *Ps.* 34 (33 Vulgata), 9 ablesen: »Gustate, et videte quoniam suavis est Dominus.« (In unserer Schrift begegnet das Zitat n. 27,7 f.) Die für die Sprache der Mystik zentrale Metapher des Schmeckens hält den Ursprung aller contemplatio präsent: die Feier des Heiligen Abendmahls als Gedächtnismahl (1. *Kor.* 11,23–25).

Augustin denkt in seiner metaphysischen Psychologie Gott als *memoria,* der die Weisheit oder den Sohn *(intelligentia)* vor sich bringt. In der Liebe sind beide im Heiligen Geist *(voluntas)* geeint (vgl. Bonaventura, *Itin.* c. 3; V 303–305). Augustins memoria hält zusammen, was philosophisch und theologisch (besonders vom Alten Testament her) vom »Gedächtnis« zu sagen ist. Lassen wir uns von der lateinischen Sprache leiten: erinnern heißt *recordari,* sich ins Herz zurückrufen. Brautmystik und Passionsmystik ist affektive Mystik; ihre Betrachtung ist Betrachtung des Herzens oder im Herzen. Neben der etymologisierenden Ableitung der »sapientia« von »sapere« (s. o. n. 10,11 und Anm.) steht der aus der mystisch-christologischen Hohelied-Auslegung herkommende Satz *gustus pertinet ad affectum* (s. o. Anm. zu n. 12,7, bes. das

Meister Eckhart-Zitat). Mystik als Herzensfrömmigkeit ist – soweit sie kirchlich gebunden bleibt – sakramentale Frömmigkeit. Der Zusammenhang bleibt bis in die Barockzeit bewußt (erst die empfindsame, psychologisierende Passionsbetrachtung der Aufklärung wird diesen Zusammenhang vergessen); vgl. Christian Scriver, *Seelen=Schatz / Darinn von der menschlichen Seelen hohen Würde / Tieffen und kläglichen Sündenfall / Buße und Erneuerung durch Christum ... erbaulich und tröstlich gehandelt wird,* Leipzig 1704, S. 509 § 11 »Der gläubigen Seelen himmlisches Freudenmahl auf Erden«; ders., *Die neue Creatur oder das in Christo erneuerte menschliche Hertz,* Lüneburg 1685, S. 263; 375.

13,6: WEIL ES NICHT IM LICHT IST] Der Vergleich mit dem Auge im Finstern ist von Cusanus nicht zufällig gewählt. Hinter ihm steht die Lichtterminologie und Lichtmetaphysik des Hochmittelalters mit ihrer doppelten Wurzel: der Sprache der Bibel (vgl. *Joh.* 1,4f.; 8,12; 1. *Joh.* 1,5) und der von Platon herkommenden Tradition. Vgl. dazu W. Beierwaltes, *Proklos. Grundzüge seiner Metaphysik,* Philosophische Abhandlungen Bd. 24, Frankfurt am Main ^{2}1979, S. 337. S. auch J. Koch, *Über die Lichtsymbolik im Bereich der Philosophie und Mystik des Mittelalters,* Studium generale 13 (1960), S. 653–670; weitere Lit. bei A. M. Haas, *Sermo mysticus. Studien zur Theologie und Sprache der deutschen Mystik.* DOKIMION. Neue Schriftenreihe zur Freiburger Zeitschrift für Philosophie und Theologie Bd. 4, Freiburg/Schweiz 1979, S. 52f. und im *Hist. Wörterb. d. Phil.* Bd. 5, 1980, Kol. 282–286; 288f. Art. »Licht« I (W. Beierwaltes). Der aus dem Lichtsein des Ursprungs sich herleitende Lichtcharakter alles Seienden ist seine Intelligibilität, sein Von-sich-her-erscheinen bzw. Sich-herzeigen-lassen als das was es ist; er verleiht ihm zugleich die Grundstruktur des Diaphanen. Ihre »diaphane Struktur« ist nach H. Jantzen das Merkmal der gotischen Kathedrale (*Die Gotik des Abendlandes,* Köln 1962, S. 22ff.). Daß deren Idee von Abt Suger, dem Planer der zwischen 1140 und 1144 neu errichteten Abteikirche von St. Denis, aus den Schriften des Dionysius Areopagita und seines Kommentators Johannes Scottus entwickelt worden ist, haben E. Panofsky und O. von Simson gezeigt (E. Panofsky, *Zur Philosophie des Abtes Suger von Saint Denis,* in: Platonismus in der Philosophie des Mittelalters, Wege der Forschung CXCVII, hrsg. W. Beierwaltes, Darmstadt 1969, S. 109–120; O. v. Simson, *Die gotische Kathedrale* (engl. New York 1956), Darmstadt ^{2}1972). Grundlegend zur symbolischen Bedeu-

tung von Bauwerken G. Bandmann, *Mittelalterliche Architektur als Bedeutungsträger,* Berlin (1951) [5]1978. Vgl. auch R. Assunto, *Die Theorie des Schönen im Mittelalter,* Köln 1963, S. 93ff.: Die gotische Interpretation des christlichen Platonismus. – Die philosophisch-theologische Grundlegung der ästhetischen Theorie Sugers hat nach W. Beierwaltes primär Johannes Scottus Eriugena geleistet (vgl. *Negati Affirmatio: Welt als Metapher. Zur Grundlegung der mittelalterlichen Ästhetik durch Johannes Scottus Eriugena,* in: Phil. Jahrbuch 83 (1976), S. 237–265). Biblische Grundlage der Dialektik von Verborgenheit und Erscheinen Gottes ist seit Dionysius 1. *Tim.* 6,16 und *Jak.* 1,17. Vgl. dazu die folgenden Verse aus der Portalinschrift Sugers in St. Denis: Nobile claret opus, sed opus quod nobile claret / Clarificet mentes, ut eant per lumina vera / Ad verum lumen, ubi Christus janua vera. / Quale sit intus in his determinat aurea porta: / Mens hebes ad verum per materialia surgit, / Et demersa prius hac visa luce resurgit (zit. bei E. Panofsky).

Zum Fortleben der Lichtmetaphorik in der Sprache der Erbauungsliteratur und der geistlichen Dichtung des Barock vgl. etwa Heinrich Müller, *Himmlischer Liebes=Kuß / Oder Ubung deß wahren Christenthumbs / fliessend auß der Erfahrung Göttlicher Liebe,* Frankfurt a. M. und Rostock 1659, Kap. 1, S. 3 und Barthold Heinrich Brockes: *Irdisches Vergnügen in Gott,* 2. Aufl., Hamburg 1724, S. 239, Aria »Kein Vergnügen kann auf Erden«.

So ist also »Licht« Metapher für »Wahrheit«. Ich übersetze deshalb in Zeile 3 »die *helle* Weisheit«. – Das folgende Zitat leitet über zu dem Gedanken, daß das Auge, das nicht sieht, tot ist, denn Sehen ist sein Leben: *De ludo globi* II n. 72 (p I fol. 162^{r},6–12; Übers. H 13, S. 55f).

13,7: DES ERGÖTZLICHEN LEBENS] Vgl. noch einmal oben in Anm. zu n. 12,26 das Zitat aus *Sermo CCXIII,* dazu *Sermo CCVIII* (Mitto angelum meum, p II 1 fol. 123^{r},33–37): Ille enim qui potest tollere caecitatem ignorantiae a spiritu rationali est dator vitae. Nam mors intellectus est ignorantia. Cuius delectatio est intelligere. In quo autem delectatur, vivit cum laetitia. Unde dare oculo visum seu menti intelligentiam spectat ad sapientiam seu verbum sive rationem infinitam. Leben und Freude gehören also zusammen. (Vgl. auch Aristoteles, *Eth. Nicomach.* 1170a19, in cod. Cus. 181 und 182 im Besitz des Cusanus; Plotin, *Enn.* I 4,3,2). Nach Gregor d. Gr. kann die Seele gar nicht ohne delectatio leben: *Moralia in Iob* XVIII 9,16,3f. (CCSL CXLIII A 896). Cusanus spricht in

Sermo CLXII (Ubi venit plenitudo temporis, p II 1 fol. 89v,27–31) im gleichen Zusammenhang von der *dulcedo vitae.* Dies weist darauf hin, daß auch *delectatio* ein Vorschein der eschatologischen, der endzeitlichen Freude ist. Vgl. auch n. 16,10 die Wendung *dulce et delectabile.* Man achte auch darauf, wie unsere Sprache von der Zusammengehörigkeit von vita und delectatio weiß, etwa in der Wendung »sich des Lebens erfreuen«.

13,12: DAS DUNKEL DER UNWISSENHEIT] Vgl. Augustin, *De trinitate* XIV c. 7 n. 9 (CCSL L 434,33–36).

13,13: EHER TOT ALS LEBENDIG] Vgl. Augustin, *Enarr. in Psalmos* 7,18 n. 19,40–44 (CCSL XXXVIII 48 f.); *De docta ign.* III 9 n. 238, 8–11; 10 n. 241,8–16 (H 15 c, S. 68; 70).

14,1: UNGEWÖHNLICHES] Vgl. die toposhafte Formulierung Meister Eckharts im Prolog zum *Opus tripartitum* (LW I, S. 149,1).

14,4–10: DIE EWIGE WEISHEIT ... NICHT GESCHMECKT WERDEN?] Vgl. Heinrich Seuse, *Vita* Kap. 3 (S. 14,26–15,2). Dieser Hinweis soll nicht die Herkunft der Ausführungen des Cusanus belegen, sondern den Horizont andeuten, in dem der Gedanke ansetzt: Wer die ewige Weisheit geschmeckt hat, weiß, daß in allem Schmecken unberührenderweise, abbildhaft und partizipativ SIE SELBST geschmeckt wird. Um dieselbe hermeneutische Bewegung vom Ursprung herab und wieder zurück geht es bei Cusanus. Zur Wirkungsgeschichte des Gedankens vgl. Heinrich Müller, *Himmlischer Liebes=Kuß,* Kap. 3, S. 20: So richte auch dein Auge zu Gott / daß du in den Creaturen dadurch dich Gott erhält / Gott selbsten schmeckest vnd empfindest.

14,6 f.: DIE SCHÖNHEIT IN ALLEM SCHÖNEN] Vgl. *De vis. dei* 6 n. 20 (p I fol. 101v,5–7). Daß Cusanus hier das Schöne in einer Reihe mit dem, was erfreut, was man erstrebt, wonach man verlangen kann, anführt, geschieht nicht beiläufig, sondern hängt an der platonischen Gleichsetzung von καλόν und ἀγαθόν (*Phaidon* 100b–e; in cod. Cus. 177 im Besitz des Cusanus) und der Ausformung des Gedankens bei Dionysius und Johannes Scottus. Dieser erklärt beides, bonitas und pulchritudo in Gott, more etymologico von seinem Rufen, καλεῖν, her; vgl. W. Beierwaltes, *Negati Affirmatio* (S. 255 f.). Die »teleologische Attraktivität Gottes« (Beierwaltes) aufgrund von Schönheit, von Dionysius in *De div. nom.* IV 7 dargelegt, ist das Herzstück der Predigt des Cusanus über den Hoheliedvers »Tota pulchra es« (Hld 4,7) in *Sermo CCXL* (p II 1 fol. 139v–141r). Nikolaus bezieht sich hier ausdrücklich auf den Areo-

pagiten. Diese Predigt zeigt Cusanus deutlich in dem von Proklos über Dionysius durch Johannes Scottus Eriugena vermittelten Traditionszusammenhang. Alles was ist, ist Werk der absoluten Schönheit, das nach ihrem Bild gestaltet ist, und diese Gestaltung ist die Anziehung. In Ordnung, Proportion und Zusammenklang (in ordine et proportione atque concordantia) strahlt die Schönheit wider. Im Reich der Schönheit ist nichts Häßliches. Die Mißgestaltungen (deformitates) der Seelen stammen nicht aus der Schönheit, denn aus der ersten Schönheit kann nur Schönes und Gutes hervorgehen (emanare): deformitas ex recipientibus; decor a datore formae (dazu s. u. n. 20,6f.). So bringt die pulchritudo die Kreisbewegung der Seins und des Denkens in Gang. Die ostensio, ihr Erscheinenwollen, kommt als descensio revelationis ans Ziel; es folgt die reditio als motus reflexus. Die mit der Gutheit identische Schönheit erfordert Reinigung (purgatio). Der philosophisch-neuplatonische Gedanke einer Seinsminderung und abnehmender Lichtheit bei wachsender Entfernung vom Ursprung wird von Cusanus zusammengedacht mit der biblischen Rede von der Sünde: linquamus omnia foeda, quae sunt peccata. Von jenen bezeugt nämlich unser Geist, daß sie häßlich sind. Dieses Zeugnis heißt das Gewissen. Und wir wollen uns bemühen, in anhaltender Liebe der ursprünglichen Schönheit gleichgestaltet zu werden. Nam viva intellectualis pulchritudo intuendo seu intelligendo absolutam pulchritudinem ad ipsam fertur desiderio indicibili, et quantum fervet desiderium, tanto accedit propinquius et plus atque plus assimilatur exemplari. Dieser ascensus kommt aus der attractio pulchritudinis seu gloriae dei. In der Herrlichkeit sein heißt in der Schau der Schönheit sein und ihr in Liebe vereint werden (fol. 141[r]; s. dazu u. n. 20,5ff./7ff.). S. auch W. Beierwaltes, *Denken des Einen. Studien zur neuplatonischen Philosophie und ihrer Wirkungsgeschichte,* Frankfurt am Main 1985, »Realisierung des Bildes«, S. 88ff.

14,11: WENN ES DEINEM VERLANGEN ENTSPRICHT?] Zu *secundum desiderium tuum* vgl. Heinrich Seuse, *Büchlein der Ewigen Weisheit* Kap. VII (hrsg. Bihlmeyer, S. 225,11f.); IX (S. 230,25).

15,1–9: DA ALSO DIESES DEIN VERLANGEN ... URSPRUNG, MITTE UND ZIEL IST] Vgl. *De vis. dei* 16 n. 69 (p I fol. 107[v],31–33; s. auch u. Anm. zu n. 18,9f. IN DEM ALLEIN ES ZUR RUHE KOMMT]; Augustin, *Conf.* XIII 1,1 (CSEL 33, S. 345,1).

15,3: DIESES GLÜCKLICHE LEBEN] Vgl. *Sermo CLXXXIII* (Qui manducat hunc panem, p II 1 fol. 107[r],29f.): ... intellectus sine

sapientia felix esse nequit. Sola sapientia est vita vivificans ipsum. Leben ist ein Heilsgut, denn Christus ist das Leben (*Joh.* 11,25; 14,6); vgl. *De ludo globi* II n. 70 (p I fol. 161ᵛ,37–39; Übers. H 13, S. 54 f.).

15,9–11: WENN ALSO DIESES VERLANGEN ... DIR SÜSS SCHMECKT] Vgl. *De vis. dei* 11 n. 43 (p I fol. 104ʳ,38 f.): Experior bonitatem tuam, deus meus, quae me ... quodam desiderio dulciter pascit.

15,11 f.: DANN ERFÄHRST DU] Hier stoßen wir auf den zentralen Begriff der Mystik: die Erfahrung. Vgl. auch n. 19,10 f. *experimentaliter gustare.* Mystik versteht sich als *cognitio dei experimentalis,* erfahrungshaftes Erkennen Gottes. Den Begriff kennt sowohl Thomas von Aquin (*S. theol.* I q. 43 a. 5 ad 2: notitia experimentalis) als auch Bonaventura (*Sent.* III d. 35 a. un. q. 1 concl.; III 774 a/b). Seit Johannes Gerson (*De theologia mystica* I cons. 2; ed. Glorieux III, S. 252 f.; s. u. Anm. zu n. 19,12 f.) ist *cognitio experimentalis* terminus technicus für die Erkenntnis in der mystischen Schau. S. auch ebd. IV cons. 28 (S. 274): theologia mystica est cognitio experimentalis habita de Deo per amoris unitivi complexum. Aliter sic: theologia mystica est sapientia, id est sapida notitia habita de Deo dum ei supremus apex affectivae potentiae rationalis per amorem conjungitur et unitur. Zu apex s. u. Anm. zu n. 24,3 f.

15,12 f.: VORGESCHMACK DER EWIGEN WEISHEIT] Vgl. *Sermo CCLXXX* (Sublevatis oculis, p II 1 fol. 184ʳ,6–9). In der Sehnsucht selbst wird das Ersehnte wahrgenommen, in seiner Süße erfahren. Vgl. auch *De vis. dei* 5 n. 13 (p I fol. 100ᵛ,16–19): Gustare enim ipsam dulcedinem tuam est apprehendere experimentali contactu suavitatem omnium delectabilium in suo principio, est rationem omnium desiderabilium attingere in tua sapientia. Zu *experimentali contactu* s. in der vorigen Anmerkung.

15,13 f.: NICHTS ... SUCHT MAN ZU ERLANGEN] Vgl. Aristoteles, *De anima* 431b2–5; Augustin, *De trin.* X 1 n. 1, 2 f. u. 10 f. (CCSL L 311); Boethius, *Cons. phil.* V metr. 3 (CCSL XCIV 94,11–19); *De quaer. deum* 2 n. 32,4 (h IV 23; Übers. H 3, S. 32); Brief vom 28. 7. 1455 an Bernhard von Waging (hrsg. Vansteenberghe, S. 159 f.). S. auch o. Anm. zu n. 11,4 f. Zum Fortwirken des Topos vgl. Heinrich Müller, *Himmlischer Liebes=Kuß* (Ausg. Erfurt 1740) Cap. 7 § 15, S. 79: Ist kein Wunder, daß der kein Honig suchet, der seine Süssigkeit nicht geschmecket, daß der die Perle wegwirfft, dem sie nicht bekannt ist.

15,14–17: SO GIBT ES ... NICHT NACH IHNEN] Vgl. *De vis. dei* 17 n. 78 (p I fol. 108ᵛ,31 f.). Cusanus bedient sich des Beispiels hier in einer anderen Argumentationsrichtung. In beiden Schriften aber geht es ihm um die Vorgängigkeit aller Gotteserfahrung (qualiscumque bzw. quaedam praegustatio) und um die Unmittelbarkeit und grundsätzliche Nichtmitteilbarkeit von Erfahrung (vgl. *De sap.* I n. 10,8–11; 19,4 ff.).

15,19: WIR HABEN ... EINEN GEWISSEN VORGESCHMACK] Vgl. *De ven. sap.* I n. 4,9–16 (H 14, S. 8).

16,1: WORAUS WIR SIND, DAVON ERNÄHREN WIR UNS] Vgl. Aristoteles, *De anima* 416a29f.; *De gen. et corr.* 335a10f.; Meister Eckhart, *Sermones et Lectiones super Ecclesiastici Cap. 24, 23–31* n. 47 (LW II, S. 276,3): ex eisdem, ut ait philosophus, sumus et nutrimur. Zur Übertragung des aristotelischen Gedankens von der natürlichen auf die theologische (von der Schöpfung her gedachte) und geistliche Ebene (woher der Glaube lebt und sich nährt) vgl. wiederum H. Müller, *Himmlischer Liebes=Kuß,* Kap. 3 (S. 16). Das Zitat macht deutlich, was als Voraussetzung auch der Gedankenführung des Cusanus an dieser Stelle zugrunde liegt: was wir zum Leben brauchen, zieht uns an; und der Vorgeschmack ist »süß«, weil das Leben selbst »süß« ist. Sein Gegensatz, die Bitterkeit, ist Metapher des Todes (»O Tod, wie bitter bist du«, *Sir.* 41,1); vgl. n. 13,6–8.

16,3: HAT VON DIESER IRGENDEINEN VORGESCHMACK] Cusanus gibt dem aristotelischen Satz, daß sich Gleiches durch Gleiches nährt, auch die Wendung, der menschliche Geist erkenne von Natur den *cibus naturae suae conformis;* vgl. *De ven. sap.* 20 n. 57,1–17 (H 14, S. 84 ff.). Zum Begriff der Gleichförmigkeit s. u. n. 17,3.

16,4–7: DAHER STREBT ER IN JEDER SPEISUNG ... DIESES GEISTIGE SEIN HAT] Vgl. *Sermo CXLV* (Si quis sermonem meum, p II 1 fol. 82ᵛ,37 f.): intellectus ab eo desiderat pasci, a quo habet esse.

16,10: DIE SÜSSE DER EWIGEN WEISHEIT] Vgl. Richard von St. Viktor, *Benjamin minor* 1 (PL 196, 1-64;1 C): Quid enim sapientia ardentius diligitur, dulcius possidetur? Ejus decor omnem superat pulchritudinem, ejus dulcor omnem excedit suavitatem. *De vis. dei* 7 n. 22; 25 (p I fol. 101ᵛ,26; 102ʳ,27). – Zum Verhältnis von erfahrener *dulcedo* und *desiderium* vgl. Banz S. 94 (1722 f.).

16,11–14: DEIN VERLANGEN SO SÜSS ... ZU ERGREIFEN] Vgl. *Sermo CCVIII* (Mitto angelum meum, p II 1 fol. 122ᵛ,44–123ʳ,4).

16,14f.: WIE WENN DU AN EISEN UND EINEN MAGNETEN DENKST] Zum Beispiel von Eisen und Magnet vgl. Platon, *Ion* 533d3. Cusanus hat es dem Brief des Ambrosius an Sabinus entnommen (den er in cod. Cus 38 las), *Epist. classis I* XLV n. 14 (PL 16, 1193 B/C); vgl. dazu *De concord. cath.* I 2 n. 10,1–10 (h XIV 1 35). Ferner fand er es bei Johannes Scottus Eriugena, *Periphyseon* I (212,31–214,1), wo er in seinem Exemplar (Londin. Mus. Brit. Addit. 11 035) auf fol. 82ᵛ am Rand vermerkte: nota exemplum de magnete. Cusanus führt das Beispiel oft an, vgl. z. B. *Sermo CCIX* (Medius vestrum stetit, p II 1 fol. 124ʳ, 36–45). Das Beispiel wird in dem von Cusanus hier intendierten Sinn und in entsprechendem Zusammenhang auch später in der Predigt- und Andachtsliteratur oft angeführt, etwa von Heinrich Müller (1631–1675), dem bedeutendsten protestantischen Erbauungsschriftsteller seiner Zeit; vgl. *Creutz= Buß= und Beet =Schule,* Rostock 1661, S. 8; *Himmlischer Liebes=Kuß* (Ausgabe Erfurt 1740), cap. 25 § 6, S. 607; *Thränen= und Trost=Quelle,* Frankfurt a. M. 1675, 4. Betrachtung, S. 132f.

16,28: ANZIEHUNG] Zum Begriff *attractio* vgl. Augustin, *In Ioh.,* s. o. zu n. 10, 29f.

17,3f.: DIESES SEIN IST DER WEISHEIT GLEICHFÖRMIGER] Vgl. *Sermo CXXXIII* (CT I 2/5, S. 80, 16f.): Sapientia creavit aliqua capacia Sapientiae, quae habent similitudinem eius magis propriam, et sunt intellectuales naturae. *Sermo CLXI* (Pax hominibus bonae voluntatis, p II 1 fol. 89ʳ,1–3.9f.12f.): ... Videre deum et gustare ipsum nulla natura potest nisi intellectualis.

17,4–6: DAHER ... BEWEGUNG] Der Satz ist im Deutschen schwer wiederzugeben. Cusanus hat eine doppelte Bewegung im Blick: Das erste ist die von der aeterna sapientia ausgehende irradiatio oder immissio. Sie erweckt (excitat) in der heiligen (= heiligmäßigen, reinen, vgl. n. 20,8/11) Seele eine Bewegung, die sich voll Begier auf die ewige Weisheit richtet. Vgl. auch *Sermo CCIX* (Medius vestrum stetit, p II 1 fol. 125ʳ,17–19). Vgl. auch die Doppelbewegung, die etwa in Bachs *Matthäus-Passion* in der Arie der Anima »Ich will dir mein Herze schenken« (Nr. 13 nach NBA) angesprochen wird. Zum Verständnis vgl. Banz, S. 120 zum mystischen Terminus *Vliezen* sowie S. 86f. (1324f.) und 104f. (2045ff.).

17,4f.: DAS HINEINSTRAHLEN] Vgl. Jan van Ruusbroec, *Die Chierheit,* Ander Boec LXVII (S. 111) ... dat inschinen Gods; (S. 110) ... dat inschinen der rayen (Sonnenstrahlen), die wederblic des onbegripeliken lichts ... in die eininghe onser overster crachte, was

die lateinische Übersetzung (II 71) mit *irradiatio* wiedergibt; deutsche Übersetzung (II 69, S. 361): das Einstrahlen. Vgl. ferner Johannes Gerson, *Notulae super quaedam verba Dionysii de Coelesti Hierarchia* (ed. Glorieux III 98, S. 203–224; S. 204 und 207). Der Kontext beider Stellen erweist *irradiatio* als mystischen Terminus. Beachte auch die deutschen Äquivalente *învluz* (des h. gaistes), Belege bei Banz S. 118f., und *inblik* vgl. Heinrich Seuse, *Vita* Kap. 52 (S. 189,18).

17,5: UND SICHERGIESSEN] Der Begriff *immissio* assoziiert *Joh.* 14,26 und hat die Funktion der biblischen Rückbindung des Gedankens. Vgl. *Sermo CLXXXI* (Spiritus autem paracletus, p II 1 fol. 105r,17–22); *Sermo CLI* (Paracletus autem spiritus sanctus, p II 1 fol. 85v,28–34).

17,5: DIE HEILIGE SEELE] Vgl. *Weish.* 7,27. Cusanus führt diese Stelle in *Sermo XVI* an (n. 11,28–30; h XVI 266) im Zusammenhang der Rede von der geistlichen Geburt (spiritualis nativitas), in *Sermo LXII* (Maria optimam partem elegit, p II 1 fol. 68r,30ff.) in Parallele zum »Wohnung machen« von *Joh.* 14,23: ... cum sic ad caelestia toto nisu aspirat, ex calore caritatis cor dilatatur et deus testimonio conscientiae adesse sentitur et spiritualiter videtur oculo animae, qui est intellectus. Ubi enim ardenter desideratur, adest, et ibi mansionem facit, et in sanctas illas animas se transfert ... Zur Bedingung der Reinheit s. auch u. n. 20,5ff./7ff.

17,9f.: IM LEIB GLEICHSAM AUSSERHALB DES LEIBES ... ENTRÜCKT] Vgl. 2. *Kor.* 12,2; Richard von St. Viktor, *Benjamin minor* 73 (PL 196,52 D), wo von der *mens hominis supra se elevata, et in exstasi rapta* die Rede ist; argumentando und ratiocinatione sei das göttliche Licht nicht zu erfassen. Vgl. *Sermo CCLXVI* (Sufficit tibi gratia mea, p II 1 fol. 168v,44–169r,3): hier erklärt Cusanus die Koinzidenz von extra und intra corpus in der Loslösung der Seele von der sinnlichen Welt. Die Entrückung ist *raptus ad visionem verbi dei.* Zu *rapitur* s. auch u. in Anm. zu n. 26,8–11 das Zitat aus *Sermo CLXXXI.* Nikolaus versteht die Bewegung des Geistes zum Erkennen der Weisheit hin als ein Entrücktwerden, wie es Paulus in 2. *Kor.* 12,2 beschreibt. Die außerhalb des Leibes (Zeile 9) und der Welt (Zeile 17f.), oberhalb jeder rationalen und intellektualen Einsicht sich momenthaft erschließende einfachste unsagbare Erkenntnis im raptus ist die *docta ignorantia,* die belehrte Unwissenheit. Vgl. *De docta ign.* III 11 n. 245 (H 15c, S. 76 und Anm. zu 245,14 und 21f.); *Apologia* n. 16 (h II 12,4–13). Diese Verbindung der

wahren Weisheitserkenntnis zur docta ignorantia deutet Nikolaus schon im einleitenden Abschnitt des Dialogs an, vgl. n. 4,5–7. Daß Cusanus den *motus intellectualis* (n. 17,6), das *altissimo intellectu intueri* (n. 24,3–5) in Analogie zur Schau der Mystiker versteht, ist an der Begrifflichkeit dieser Stelle eindeutig abzunehmen. Nicht nur weist das »rapitur« und die Bezugnahme auf 2. *Kor.* 12,2 darauf hin, sondern auch das Element des Sich-Vergessens (*sui oblitus,* Zeile 8); vgl. dazu Heinrich Seuses Bericht von seinem ersten »übernatúrlichen abzug« (Ekstase) im 2. Kapitel der *Vita* (S. 10,16–23) und *Lebens=Beschreibung ... JOH. TAULERI* S. 10 und 20; Richard von St. Viktor, *Benjamin maior* IV 23 (PL 196, 63–202; 167 B); s. auch *Sermo LXII* (Maria optimam partem elegit, p. II 1 fol. 68^r,39 f.): et paene suimet obliviscatur. – Auch die Wendung *interne tactus* (Zeile 7) gehört zum gängigen Vokabular der Beschreibung des raptus in den Mystiker-Viten, s. noch einmal *Lebens=Beschreibung,* S. 20: »Wie doctor Taulerus von Gott wunderbarlich heimgesucht / berührt und erleuchtet ward«. Johann Ruisbroeck beschreibt die mystische Erfahrung besonders häufig als Berührtwerden, vgl. *Die Chierheit,* Ander Boec LI (S. 91): Gods inwendighe roeren ende gherinen; LXVII (S. 110); *Das Buch von den zwölf Beghinen* 16 (deutsche Übertragung a. a. O., S. 58). – Das »arm im Geiste« von *Mt.* 5,13 wird von den Mystikern oft im Sinne von arm des Geistes = entgeistet verstanden; vgl. Banz S. 114 f.; H. Seuse, *Vita* Kap. 52 (S. 189,18 f.).

Daß Cusanus die mystische Entrückung nicht erst in *De visione dei* (1453) beschrieben hat, beweist ein Blick in *Sermo LXII* vom 15. 8. 1446 über *Lk.* 10,42 »Maria optimam partem elegit«, wo Nikolaus in Übereinstimmung mit der Auslegungstradition dieser Perikope über das »beste Teil« des christlichen Lebens, die contemplatio, handelt. Das Leben der Maria ist von den Geschäften der Welt Zur-Ruhe-gekommen-sein, nichts zu tun und zu schauen: vacare scilicet et videre quam suavis est dominus (*Ps.* 33 (34),9) ... (p II 1 fol. 68^r,24 ff.). Cusanus fährt fort: ... Et hic amor dei cum intelligentia conditus inebriat mentem et abstractam ab exterioribus deo suo conglutinat, et quanto amor validior et intelligentia lucidior, tanto validius in se mentem rapit, quousque omnia tandem, quae sub deo sunt, abiciat et persistat quasi in corusco lumine. ... Deinde pervenitur ad mentis alienationem, modo prae magnitudine devotionis, modo prae magnitudine admirationis, modo prae magnitudine exultationis, ut semetipsam mens hominis non ca-

piat, sed supra seipsam elevata in alienationem transeat. Flamma enim, quae excrevit ultra humanum modum, hominis mentem ut ceram resolvit, sicut excellens lumen obfuscat visum. Et saepe stupore supernae pulchritudinis alienatur magnitudine exultationis, quando degustat intima supernae suavitatis, et in alienationem mentis tripudii nimietate ducitur. – Die Kombination von *Ps.* 45,11 und 33,9 zu *Vacate et videte* etc. findet sich bei Bonaventura, *Sermones de tempore,* Dom. in Albis 1 (IX 290b). Vgl. auch die Beschreibung des excessus contemplationis, ebd. (291a/b). – Zu »momenthaft« vgl. *Sermo LXII* (Maria optimam partem elegit, p II 1 fol. 68^{r},37): fulgor momentaneus. Die Momenthaftigkeit ist ein wiederkehrender Topos in den Beschreibungen der mystischen Präsenzerfahrung; vgl. Heinrich Seuse, *Vita* Kap. 2 (S. 11,3). – Zu *inebriat mentem* vgl. Augustin, *De agone christiano* 9,10 (PL 40, 289–310; 296), wo Augustin bei der Aufforderung, Gottes suavitas zu schmecken, neben *Ps.* 33,9 auch *Ps.* 35,9 anführt: inebriamur ab ubertate domus tuae. Weitere Belege bei Banz, S. 79f. (1095ff.). S. auch *insanire* in unserem Text n. 17,12.

17,10–13: ALLER SINNLICHEN DINGE GEWICHT ... VEREINT] Vgl. *Sermo CCLXVI* (Sufficit tibi gratia mea, p II 1 fol. 168^{v},44–169^{r},3).

17,14–16: LÄSST DIE SINNE HINTER SICH ... FÜR NICHTS ACHTET] Vgl. *Phil.* 3,7f.; *De spiritu et anima* 34 (PL 40,804); Dionysius Areopagita, *De div. nom.* VII 3 (PG 3, 872 AB); Heinrich Seuse, *Büchlein der Ewigen Weisheit* Kap. VII (S. 225, 14f.); Thomas von Kempen, *De imit. Christi* I 3,6. Zu »insanire« vgl. Jan von Ruusbroec, *Speculum aeternae salutis* c. 18 (Opera omnia, Köln 1552, p. 13–47; p. 40).

17,17f.: DIESE WELT UND DIESES LEBEN LASSEN ZU KÖNNEN] Die Grenzaussage über das *vitam linquere* steht für den weniger mystisch im strengen Sinn als spekulativ interessierten Cusanus am Rande. Sie ist im Kontext des *omnia linquere* (*Mt.* 19,27) der Nachfolgefrömmigkeit der *Devotio moderna* und andererseits des Prinzips der *theologia negativa* des Pseudo-Dionysius zu sehen. Vgl. *De possest* n. 17,18–20 (H 9, S. 20); Dionysius, *De div. nom.* VII 3 (PG 3, 871 B): a rebus omnibus recedens, ac demum semetipsum deserens. Thomas von Kempen, *De imit. Christi* I 11,3; II 11,5; weitere Belege bei Banz S. 70 (662f.). Johann Ruisbroeck spricht in seiner Beschreibung des raptus von dem ungeduldigen Begehren, »vanden kerkere sijns lichnamen« entbunden zu werden (*Die Chierheit,* Ander Boec XXI, S. 55; *De ornatu* II 24, S. 331; *Die Zierde* II 23, S. 286). Zum

»Lassen« gehört ferner die mystische »(ab)gescheidenheit«; Belege hierzu bei Banz S. 74 (858f.) und S. 114, auch S. 98 (1776f.); S. 94 (1696) »der welt urlob geben«; S. 117 »Gelâzenheit«.

17,18: UNGEHINDERTER] Zum komparativischen *expeditius* vgl. Heinrich Seuse, *Büchlein der Ewigen Weisheit* Kap. XII (S. 245,10); ie vrier ufgang. Die Parallele im *Horologium* fußt auf Thomas, *In IV. Sent.* dist. 49 q. 5 (s. Bihlmeyer).

17,19: SICH FORTTRAGEN LASSEN] In *ferri* klingt sowohl die mediale Bedeutung »stürzen, eilen, sich erheben« mit, der mystische Sprachgebrauch betont jedoch stärker das passivische Element des Fortgetragenwerdens; vgl. Heinrich Seuse, *Vita* Kap. 2, wo vom *úberswenke zug,* danach vom Gefühl des Schwebens die Rede ist (S. 10,28f; 11,2). In der Dionysius-Paraphrase in Kap. 52 (S. 190; s.u. Anm. zu n. 32,24f.) spricht er von einem »blossen abzuge des grundlosen, einvaltigen, reinen gemütes, hin in den úberweslichen widerglast der götlichen vinstri« (Zeile 11–13). Vgl. auch die anonyme *Lebens=Beschreibung* Johann Taulers (S. 20): »und wuste nicht / wie oder wo er hingezogen wurde«; ferner *Sermo LXII* (Maria optimam partem elegit, p II 1 fol. 68^{r},37): mentis sublevatio. Wie sich diese Erfahrung in der Struktur gleicht, zeigt auch ihre Beschreibung durch Plotin (*Enn.* VI 7,36,17 ff., zit. bei W. Beierwaltes, *Reflexion und Einung,* S. 31) als fortgerissen- und hinaufgehobenwerden. (Vgl. auch Jan von Ruusbroec, *Die Chierheit,* Ander Boec XXI (S. 57): Dit hetet raptus, dat es alsoe vele gheseit als gherovet ofte overghenomen ofte wech ghevoert.

17,20: VORGESCHMACK] Das zeitgenössische Äquivalent für praegustatio ist Vorschmack (forsmag, fůrsmag); Belege bei Banz S. 70 (694f.).

17,22–24: LÄSST SIE ... ALLE KÖRPERLICHEN QUALEN ... ERTRAGEN] Nach Seuse das »zweite Bild« nach der »vonker von der welt lústen«, dem linquere; vgl. Heinrich Seuse, *Vita* Kap. 53 (192, 19–22). S. auch Bihlmeyer a. a. O., S. 76* ff, zu Seuses Kasteiungen.

17,24f.: ER LEHRT UNS ... VERGEHEN KANN] Er, d.i. der Vorschmack, also die Erfahrung der ewigen Weisheit, unterrichtet uns, läßt uns erkennen, daß dieser unser ihr zugewandter Geist nicht vergehen kann. Cusanus argumentiert wiederum von der *Erfahrung* her; er führt keinen theoretischen Beweis für die Unsterblichkeit des menschlichen Geistes. Auch in *De mente* geht die Argumentation des Cusanus von der Erfahrung aus, vom *Schmecken* der Weisheit: Ego autem nequaquam haesito gustum sapientiae habentes

immortalitatem mentis negare non posse (*De mente* 15 n. 156,9–11; h ²V 211 f.). Es folgt hier der Gedanke, daß der Geist nicht vergehen kann, weil seine Inhalte, die abstrakten Formen, der Veränderlichkeit und damit der Zeit nicht unterworfen und also unvergänglich sind (*ebd.* Zeile 12–21; S. 212). Dies ist auch die Begründung in *De docta ign.* III 10 n. 240 (H 15c, S. 70) und in *De ludo globi* II n. 95 (p I fol. 165,20–28; Übers. H 13, S. 75). In dieser letztgenannten Schrift führt Nikolaus einen weiteren Grund für das Nichtvergehenkönnen des Geistes an: weil es zu seinem Wesen gehört, *sich selbst zu bewegen*; vgl. *De ludo globi* I n. 24 (H 13, S. 18 f.). Auf die unserem Geist von Natur aus innewohnende Bewegung kommt Cusanus denn auch im folgenden Abschnitt unserer Schrift (n. 18) zu sprechen.

18,4: DEREN LEBENDIGES BILD] Vgl. Raymund von Sabunde, *Theologia naturalis* pars II tit. 103; 127 (Ausgabe Sulzbach 1852/ Stuttgart-Bad Cannstatt ²1966, S. 136; 169) u. ö. Der Begriff erfährt durch Cusanus eine spezifische Prägung; vgl. *De mente* 7 n. 106,8–15 (h ²V 158 ff.); *Sermo CLXII* (Ubi venit plenitudo temporis, p II 1 fol. 89ᵛ,24–28); *Sermo CCLIII* (Sic nos existimet homo, p II 1 fol. 153ᵛ, 41–46); *Sermo CCLXXIX* (Sublevatis oculis, p II 1 fol. 183ᵛ,1–9).Cusanus besaß die *Theologia naturalis* in cod. Cus. 196.

18,5 f.: EIN BILD NÄMLICH KOMMT NICHT ZUR RUHE ... DESSEN BILD ES IST.] Vgl. *Sermo CCIX* (Medius vestrum stetit, p II 1 fol. 125ʳ,5–7); *Sermo CCLXXXV* (Qui me inveniet, p II 1 fol. 187ᵛ,43–45).

18,8 f.: BRINGT ... AUS SICH EINE BEWEGUNG HERVOR] Vgl. *De mente* 15 n. 157,15 f. (h ²V 214).

18,9 f.: IN DEM ALLEIN ES ZUR RUHE KOMMT] Vgl. *De vis. dei* 8 n. 27 (p I fol. 102ʳ, 42 f.). In Anknüpfung an das Wort Augustins vom unruhigen Herzen (*Conf.* I 1; Cusanus aus cod. Cus. 33 und 34 geläufig) bestimmt Cusanus hier die Bewegung des Abbildes zu seinem Urbild hin als Bewegung der Liebe. Vgl. dazu *De sap.* I n. 15,6–8 und n. 18,3 f. Das uns eingeborene Verlangen nach Erkenntnis (vgl. n. 9,2–4; auch dort steht neben *scire* sogleich *affectus*) ist als Verlangen nach der alles begründenden und mit Leben speisenden Wahrheit (vgl. n. 12,22 f.) eine Bewegung des Geistes, in der das kognitive und das affektive Moment ineinanderliegen. So kann Cusanus dem Satz des Aristoteles aus dem Anfang der Metaphysik (*Met.* 980a21) die spezifische Fassung geben: Intellectus enim quodam naturalissimo amore scire desiderat, et hoc desiderium est

quod in se gestat veritatem (*Sermo CCLXXX,* Sublevatis oculis; p II 1 fol. 184r,6f.). S. o. n. 15,8.

18,11f.: DAS LEBEN DES LEBENS DER WAHRHEIT] Vgl. *Joh.* 14,6; *Gal.* 2,20; *Kol.* 3,3; Augustin, *Conf.* X c. 6 n. 10 (CSEL 33, S. 234,4); *De ludo globi* I n. 30 (p I fol. 155v,33f.).

18,13f.: ALS DER WAHRHEIT SEINES SEINS] Vgl. Meister Eckhart, *Predigt* 16 b (DW I 269,2–5); *Sermo LXIX* (Tertia die resurrexit, p II 1 fol 77v,25–27).

18,15f.: SEIN URBILD IM VORAUS SCHMECKT] Vgl. *Sermo CLXII* (Ubi venit plenitudo temporis, p II 1 fol. 89v,20–24).

18,21f.: DAS UNENDLICHE LEBEN NIEMALS UNENDLICH BERÜHRT] Vgl. *De vis. dei* 16 n. 68f. (p I fol. 107v,23–27).

18,22–30: IMMER NÄMLICH BEWEGT SIE SICH ... SICH ZU ERGÖTZEN] Vgl. den Hymnus *Iesu, dulcis memoria,* Strophe 15–18: Tua, Iesu, dilectio, / grata mentis refectio: / replet sine fastidio, / dans famem desiderio. // Qui te gustant esuriunt, / qui bibunt adhuc sitiunt: / desiderare nesciunt / nisi Iesum quem sentiunt. // Quem tuus amor debriat / novit quid Iesus sapiat: / felix gustus quem satiat: / non est quod ultra cupiat: // ... Diese Strophen leiten nach der von Lausberg aufgezeigten Disposition den zweiten Teil des Hymnus *De ipsius poetae experientia mystica* ein und zwar die Epitasis *de quaerendo Iesu.* Str. 15–16 handeln *de fame mystica,* Str. 17–18 *de exspectanda satietate.* Zum Fortwirken vgl. die Übersetzung von Johann Heermann, *Des heiligen Bernardi Freuden=Gesang von dem Namen JESU. JESU, dulcis memoria* (in: *Poetische Erquickstunden,* Nürnberg 1656, S. 7–13; S. 9). S. auch Heinrich Seuse, *Vita* Kap. 2 (S. 10, 19f.). Die theologische Grundlegung des Gedankens s. bei Gregor d. Gr., *Homil.* 36 (*Homiliarum in Evangelia Lib. II,* PL 76, 1075–1312; 1266 AB). Man beachte die Anführung von *Ps.* 33,9. Vgl. ferner Bernhard von Clairvaux, *Sermones super Cantica Canticorum* 31,1 (*S. Bernardi Opera,* recc. J. Leclercq, L. H. Talbot, H. M. Rochais, Vol. I, Rom 1957, S. 219,23–220,2); Jan van Ruusbroec, *Die Chierheit,* Ander Boec LI; LXVII (S. 90f.; 111; Übers.: *De ornatu* II 55; 71, S. 349; 360; *Die Zierde* II 53; 69, S. 333f.; 361); ders., *Das Buch von den zwölf Beghinen* 15 (deutsche Übertragung a. a. O., S. 55); *De docta ign.* III n. 258,5–18 (H 15 c, S. 93). Zu *gaudiosissimo desiderio* vgl. Jan van Ruusbroec, *Die Chierheit,* Ander Boec IX (S. 46; *De ornatu* II 14; S. 326f.; *Die Zierde* II 11; S. 273).

18,29: IN DER EWIGEN SPEISUNG NIEMALS AUFHÖRT] Vgl. Augu-

stin, *In Ioh.* III 21,31–36 (CCSL CXXIV 30f.); *Sermo CCLXXI* (CT I 2/5 132,4–7); *Complement.* theol. 2 (p II 2 fol. 93r,27–39).

19,12f.: DER SIE IN INNEREM SCHMECKEN AUFNIMMT] S. o. Anm. zu n. 15,11f.; vgl. *De spir. et anima* 58 (PL 40,823); Bonaventura, *Sent.* III d. 35 a. un. q. 1 concl. (III 774 a/b); Johannes Gerson, *De theol. myst.* cons. 2 (ed. Glorieux III 252f.): Has vero cognitiones experimentales de Deo interius, vocant sancti variis nominibus ... Vocant contemplationem, extasim, raptum, exultationem, jubilum, esse supra spiritum, rapi in divinam caliginem, gustare Deum, amplecti sponsum ..., currere in odorem unguentorum suorum, audire vocem ejus. *De vis. dei* 5 n. 13 (p I fol. 100v, 16–18).

19,14f.: WAS ER IN SICH SELBST ERFAHRUNGSMÄSSIG GESCHMECKT HAT] S. o. n. 15,10f. – Hier ist die Liebe als Beispiel genannt für das, was man schmecken muß, um es zu kennen; das Hören und Lesen darüber bleibt ohne Erfahrung leer. Vgl. Heinrich Seuse, *Vita* Kap. 51 (S. 181,23; 183,30); Bonaventura *Itin.* VII 4 (V 308a); Hymnus *Iesu dulcis memoria,* Str. 5: Nec lingua potest dicere / nec littera exprimere / expertus novit, tenere / quid sit Iesum diligere. Das Schmecken ist nicht kommunikabel. Erfahrung muß selbst gemacht werden. Was dies für die *Sprache* bedeutet, führt W. Beierwaltes aus in: *Denken des Einen,* a. a. O., S. 102–107; vgl. bes. S. 106. S. auch den Abschnitt »Das Verhältnis von Sprache und Erfahrung« bei A. M. Haas, *Sermo mysticus,* S. 136–167. Zur »Sprachlosigkeit« der mystischen Erfahrung vgl. Heinrich Seuse, *Vita* Kap. 50 (173,20f.).

19,15–18: VIELE BESCHREIBUNGEN DER LIEBE ZU KENNEN ... IST EINE ART LEERE] Zur Entgegensetzung von Wissen (scire) und Erfahrung (Empfinden, sentire) vgl. Thomas von Kempen, *De imit. Christi* I 1,3. S. auch Heinrich Seuse, *Büchlein der Ewigen Weisheit* Prolog (S. 199,14–25).

19,23–28: GLEICHWIE JEMAND, DER EINEN ACKER ENTDECKT HAT ... IN SEINEM ACKER ZU HABEN] Vgl. *Mt.* 13,44 (s. o. Anm. zu 11,19–23); *De vis. dei* 16 n. 67 (p I fol. 107v,15f.); *Sermo XXXI* (Martinus hic pauper, p II 1 fol. 72r,34–41); Thomas von Kempen, *De imit. Christi* II 8,2. Hier kommt heraus, wer der wirklich Reiche ist und daß Cusanus schon in n. 1,3 »ditissimus« dialektisch auf den wahren unendlichen Schatz, die ewige Weisheit bezieht. Diese Beziehung der Metapher auf die ewige Weisheit läßt sich auch später noch verfolgen; vgl. etwa *Speculum Mysteriumque Chri-*

stiani et Clavis Sapientiae, Amsterdam–Frankfurt–Leipzig 1686 (Andreas Luppius zugeschrieben), S. 16.

20,5: DAS ABER ... SIND DIE LASTER] Vgl. Meister Eckhart, *Sermo XLII* 1 n. 421 (LW V 355,1f.); *Daz buoch der göttlichen troestunge* (DW V 1–105; 36,12f.); *Theologia deutsch* cap. 26 (›Der Franckforter‹, Krit. Textausgabe von W. von Hinten, München und Zürich 1982).

20,6f.: VON DER EWIGEN WEISHEIT ... NUR GÜTER] Vgl. Augustin, *Enarr. in Ps.* 44,3 c. 7,35–41 (CCSL XXXVIII 499); Heinrich Seuse, *Büchlein der Ewigen Weisheit* Kap. IX (S. 233,4f.); Thomas von Kempen, *De imit. Christi* I 7,2.

20,7–18: DESHALB WOHNT DER GEIST ... VON DIESER ART] Vgl. *Sermo CCXL* in Anm. zu n. 14,6f.; *Sermo CCIX* in Anm. zu n. 17,4–6 DAHER-BEWEGUNG).

20,7–9: IN EINEM LEIB, DER DEN SÜNDEN UNTERTAN IST ... DAS BÖSE WILL] Vgl. *Weish.* 1,4.

20,9f.: SONDERN IN SEINEM REINEN ACKER] Vgl. *Theologia deutsch* cap. 14; *Sermo CLXXXI* (Spiritus autem paracletus, p II 1 fol. 105ᵛ,27–32); *Crib. Alk.* II 17 n. 142,10–13 (h VIII 115); s. o. n. 17,5 *in sanctam animam.*

20,10: IN EINEM REINEN BILD DER WEISHEIT] Vgl. Meister Eckhart, *Predigt* 9 (DW I 150,3–7). Zu dieser Stelle vgl. J. Quint, *Meister Eckehart, Deutsche Predigten und Traktate,* Darmstadt 1969 S. 23f. (Einleitung); weitere Belege bei Banz S. 57 (181).

20,11: IN SEINEM HEILIGEN TEMPEL] Vgl. *Ps.* 11,4 (Vulgata 10,5); 2. *Kor.* 6,16; *Sermo XCIV* (Deus in loco sancto suo, p II 1 fol. 75ʳ,18–20); Meister Eckhart, *Predigt* 1 (DW I 5,5f.).

20,15–17: DIE FRÜCHTE DES GEISTES ... GEDULD] Die Aufzählung geht auf mehrere Quellen zurück; vgl. *Weish.* 8,7 sowie den Tugendkatalog *Gal.* 5,22f.; zu den vier Kardinaltugenden vgl. Rhabanus Maurus, *Comment. in Librum Sapientiae* II c. 5 (PL 109, 671–762; 706 C/D); ihm ist die *Glossa ordinaria* zu *Weish.* 8,7 entnommen.

21,9f.: HAT NICHT GOTT DURCH DAS WORT ALLES GEBILDET?] Vgl. 1. *Mose* 1; *Ps.* 33 (32 Vulg.), 6; *Weish.* 9,1; *Joh.* 1,3.

21,12: IST DAS WORT GOTT?] Vgl. *Joh.* 1,1.

22,2: ALLES IN DER WEISHEIT GEMACHT] Vgl. *Ps.* 104 (103 Vulg.), 24.

22,4f.: HAT SEIN KÖNNEN, UND HAT SO SEIN KÖNNEN] Vgl. *De possest* n. 5,4–6; 6,1f. (H 9, S. 6).

22,6–8: Zur Allmacht, die vom Nicht-sein ins Sein ruft, vgl. *De deo absc.* n. 9,9–12 (h IV 7, Übers. H 3, S. 4); *De possest* n. 25,12–17 (H 9, S. 32).

22,8 ff.: Zum Ternar Einheit – Gleichheit – Seinsheit (unitas – aequalitas – conexio) vgl. Augustin, *De doctr. christ.* I 5 n. 5 (CCSL XXXII 9); Thierry von Chartres, *Commentum* (77,92 ff.); *De docta ign.* I 8 f. (H 15a, S. 30 ff.); *De ven. sap.* 21–26 (H 14, S. 88 ff.); dazu W. Beierwaltes, *Identität und Differenz als Prinzip cusanischen Denkens,* in: *Identität und Differenz,* Philosophische Abhandlungen Bd. 49, Frankfurt a. M. 1980, S. 105–143; S. 124 ff.

22,9: DIE EINHEIT ODER DIE SEINSHEIT] Vgl. Thierry von Chartres, *Lectiones in Boethii librum De trinitate* II 48 (ed. N. M. Häring, a. a. O., S. 123–229; S. 170,38–41): Et QUE scilicet uera forma EST IPSUM ESSE quia scilicet est entitas omnium rerum. Unde et unitas dicitur i.e. *onitas* quasi entitas omnium rerum. Ab eo enim habent omnia esse. *De docta ign.* I 2 n. 5,6 f. (H 15a, S. 10).

22,17: DIE GLEICHHEIT DER EINHEIT ODER DER SEINSHEIT] Vgl. Thierry von Chartres, *Tractatus De sex dierum operibus* 42 (ed. N. M. Häring, a. a. O., S. 553–575; S. 572 f., 9–17): ... At iste modus nichil aliud esse potest nisi prima et eterna sapientia. Illa enim sola est secundum quam esse uniuscuiusque rei determinatum est et ultra quam citraue nequit consistere rectum. Zu *aequalitas* vgl. neuerdings W. Beierwaltes, *Denken des Einen,* S. 368 ff. »Einheit und Gleichheit«, bes. S. 373; 382–384.

22,22 f.« ALLES VEREINT UND VERKNÜPFT] Vgl. Johannes Scottus, *Periphyseon* I (210,28–30).

22,27 f.: DIE VERKNÜPFUNG GEHT VON DER EINHEIT UND IHRER GLEICHHEIT AUS] vgl. Thierry von Chartres, *Commentum* II 38 (80,67–72).

22,30: EINES DREIEINEN URSPRUNGS] Der Schluß von der göttlichen Trinität auf ein dreieiniges Seinsprinzip alles Geschaffenen ist ein zentrales Denkmodell des Cusanus; vgl. *De beryllo* 23 f. (H 2, S. 40 ff.); n. 33 ff. (h XI 1 36 ff.); *Sermo CCXXX* (Trinitatem in unitate veneremur, p II 1 fol. 134^{rv}). Es knüpft an an die augustinische Lehre von den vestigia trinitatis; *De trinitate* VI c. 10,45–49 n. 12 (CCSL L 242); Rudolf Haubst, *Das Bild des Einen und Dreieinen Gottes in der Welt nach Nikolaus von Kues,* Trierer theologische Studien 4, Trier 1952.

23,2 f.: DER WESENSGRUND DER DINGE] Vgl. Johannes Scottus,

Periphyseon III (78,26ff.); *Sermo LXIX* (Tertia die resurrexit, p II 1 fol. 77^r^,43–77^v^,9).

23,3f.: EINE UNENDLICHE GEISTIGE GESTALT] Ich übersetze »intellectualis forma« in Entsprechung zu »intellectualis vita« mit »geistige Gestalt«, d. h. im Geist existierende Gestalt, nach Aristoteles εἶδος ἐν ψυχῇ.

23,4f.: DIE GESTALT ... GIBT EINEM DING DAS GESTALTETSEIN] Vgl. Boethius, *De trinitate* II (The Theological Tractates, ed. H. F. Stewart, E. K. Rand, S. J. Tester, London 1978, S. 1–31; 10,21).

23,4f.: DAS GESTALTETSEIN] Gemeint ist das *gestaltet Sein*, d. h. daß ein Ding gestaltet ist und dadurch *ist*.

23,5f.: DIE WIRKLICHKEIT ALLER GESTALTBAREN GESTALTEN] Vgl. *De gen.* 1 n. 147,4f. (h IV 107).

23,6f.: ALLER SOLCHER GENAUESTE GLEICHHEIT] vgl. *De mente* 2 n. 67,4–6 (h ²V 103).

23,7–15: WIE NÄMLICH DER UNENDLICHE KREIS ... MASS VON ALLEM] Über den unendlichen Kreis hat Cusanus in den beiden unmittelbar vor *De sapientia* abgefaßten Schriften *De transmutationibus geometricis* und *De arithmeticis complementis* (p II 2 fol. 33ff. und 54ff.; Übers. H 11, S. 3–28 und 29–35) gehandelt. Zum Beispiel vgl. *De possest* n. 24,15–22 (H 9, S. 30); *Complement. theol.* 5 (p II 2 fol. 95^r^,10–14).

23,14: DIE ALLE GESTALTEN EINFALTENDE EINFACHHEIT] Vgl. *De mente* 3 n. 72,1f. (h ²V 108); *De docta ign.* I 22 n. 67; 24 n. 75 (H 15a, S. 88; 96–98).

23,15: UND GLEICHKOMMENDSTES MASS VON ALLEM] Vgl. *De docta ign.* I 16 n. 45 (H 15a, S. 60–62).

23,15–32: ES IST SO, WIE WENN ... GLEICHSTES URBILD IST] Cusanus führt diesen Gedanken in *De visione dei* weiter aus (9 n. 33f.; p I fol. 103^r^,19–34). Dort macht er das Exemplar-Sein Gottes für alle vorliegenden und erdenklichen Formen deutlich mit Hilfe des Begriffs der *humanitas incontracta.* Diese ist exemplar et idea istius contractae naturae der *humanitas,* des Mensch-Seins aller und jedes einzelnen Menschen. Die *forma specifica* hat ihr Sein von jener, die *per se* ist, von der absoluten Form. Als *forma formarum* ist Gott absolutes und einfachstes Urbild und nicht aus mehreren Urbildern zusammengesetzt: non es compositus ex pluribus exemplaribus, ... sed omnium et singulorum quae formari possunt es verissimum et adaequatissimum exemplar. Zur Herkunft des Urbild-Abbild-Modells vgl. z. B. Platon, *Parm.* 132c/d.

23,16f.: KUNST DES ALLMÄCHTIGEN] Vgl. *De possest* n. 34,4–6 (h XI 2 42 und Anm.; H 9. S. 40) sowie den zu n. 23,2f. zitierten *Sermo LXIX;* Augustin, *De trin.* VI c. 10,20–24 n. 11 (CCSL L 241).

24,3: AUSFALTEN] Zu Schöpfung als Selbst-Explikation Gottes vgl. W. Beierwaltes, *Identität und Differenz,* S. 112ff. S. auch o. zu n. 10,31.

24,3f.: IN HÖCHSTER ERKENNTNIS] Hinter der Formulierung steht die Unterscheidung verschiedener Stufen (gradus) oder Weisen (modus) der Erkenntnis. Mit der seit Boethius (*Cons.phil.* V 4,26–30; CCSL XCIV 97,69–80) geläufigen Tradition kennt Nikolaus in aufsteigender Reihe vier Erkenntnisvermögen des menschlichen Geistes: die *vis sentiendi* (sinnliche Wahrnehmungskraft), die *vis imaginandi* (Vorstellungskraft, auch Erinnerung einer sinnlichen Wahrnehmung), *vis ratiocinandi* (die diskursive Kraft des Verstandes) und die *vis intelligendi* (die abstrakte, auf das Einfache, *simplex,* gerichtete Vernunfterkenntnis); vgl. *De mente* 11 n. 141,2–4 (h ²V 193); *De coniecturis* II 10 n. 123,12–14; 16 n. 159,9–12 (H 17, S. 146; 186). Diese letztere kann Cusanus schon die höchste Stufe (des Seins wie des Erkennens) nennen. Jeder Erkenntnismodus richtet sich auf den ihm entsprechenden Seinsmodus als auf seinen eigenen Gegenstand (proprium obiectum); vgl. *De sap.* I n. 25,25–26,1; s. auch *De mente* 7 n. 106,8 (h ²V 158). Zuweilen unterscheidet er aber auch vom intellectus oder der intelligentia noch die *intellectualitas* oder *intellectibilitas* (z. B. *De docta ignorantia* III 11 n. 245,16; 247,2 (H 15c, S. 76; 78); *De mente* 14 n. 153,3–4 (h ²V 208). Sie ist als Vermögen etwa mit »Geistigkeit« wiederzugeben; ihr Akt ist die Vernunftschau (intuitio). Sie wird als simplex oder simplicissima intellectualitas beschrieben, wie auch ihr Gegenstand das einfache absolute Sein ist, zu dem der Geist sich erheben muß (elevare), indem er aus dem Bereich des Kontrakten hinübergeht (se transfert) ins Absolute, Unendliche, wo die Gegensätze zusammenfallen (coincidere). Ihr Organ ist das metaphorische »Auge des Geistes« (oculus mentis, vgl. n. 46,3), das öffnen muß, wer die Wahrheit erkennen, Gott schauen will, oder auch der Geist selbst, der als lebendiges Bild Gottes im Hintersichlassen alles so und so unterschieden Seienden die eine absolute Seinsheit widerstrahlt; vgl. *De mente* 7 n. 106,8–10 (h ²V 158f.); *De possest* n. 74,13–16 (H 9, S. 90–92). Später wird Nikolaus diese höchste Stufe der Erkenntnis den *apex* nennen (*De apice theoriae,* 1464). Der *apex mentis* (vgl. Bonaventura, *Itin.,* I 6 [V 297b]; Johannes Gerson,

Notulae super quaedam verba Dionysii [ed. Glorieux III 209]) ist *daz obreste wipfellîn des geistes* (PDM II, 52,39) der deutschen Mystiker, bei Ruusbroec: dat overste des gheests ende (*Die Chierheit,* Ander Boec VI, S. 44). – Zur Entwicklung des vierstufigen boethianischen Schemas zur fünf- bzw. sechsstufigen Erkenntnisleiter über Thomas Gallus zu Bonaventura, die mit scintilla synderesis bzw. intelligentia und apex mentis ein weiteres, überintellektuales mystisches Vermögen bezeichnen, vgl. E. von Ivánka, *Plato Christianus. Übernahme und Umgestaltung des Platonismus durch die Väter,* Einsiedeln 1964, S. 352–363; 380–383.

24,4: ÜBER JEDEN GEGENSATZ] Vgl. *De docta ign.* I 4 n. 12 (H 15 a, S. 18).

24,5 f.: DIE NATÜRLICHE KRAFT ..., DIE IN DER EINHEIT IST] Vgl. *Liber de causis* XVI (XVII) n. 138,15 f.; n. 140,22–25 (ed. A. Pattin, Tijdschrift voor Filosofie 28 [1966], S. 90–203); *De coniecturis* I 5 n. 18,1–4 (H 17, S. 20). (Nikolaus besaß in cod. Cus. 195 den Kommentar des Thomas von Aquin zum *Liber* de causis.)

24,9 f.: VON FERNE SICHTBAR] Der höchsten Form der Erkenntnis entsprechen Verben des Sehens, was mit der Bedeutung des Lichtes zusammenhängt. Zu »Licht« und »Wahrheit« s. o. Anm. zu n. 13,6. Dem Mittelalter galt wie schon Aristoteles (vgl. *Met.* 980a23 f.) das Auge als der vornehmste der menschlichen Sinne (er ist am Körper auch zuoberst lokalisiert). Auch Cusanus zieht das Auge dem Ohr vor; vgl. z. B. *De mente* 8 n. 113,18 (h ^{2}V 167).

25,4 f.: ALLES BERÜHRT, ALLES BEGRENZT, ALLES ORDNET] Vgl. *Weish.* 8,1 und das Zitat der Stelle in *Sermo CXVI,* wo Cusanus fortfährt: »ut in omnibus reluceat« (s. o. Anm. zu n. 10,31). Umschrieben ist hiermit der Hervorgang des Endlichen, Begrenzten, voneinander Verschiedenen, gleichwohl zueinander im Verhältnis Stehenden, aus dem unendlichen einfachsten, vor und über allem Gegensatz einen oder einigen (unicus, -a, -um) Prinzip. Mit dem Berühren (attingere) der sapientia ist die Bewegung »von oben herab« gemeint, in der sich das Eine in die Vielfalt hinein vermittelt, theologisch gesprochen die *creatio.* Cusanus denkt diese Bewegung als die Bewegung der Identität (n. 25,9) in die Differenz und als die Ausfaltung (n. 25,14) des in der göttlichen Omnipotenz (*De possest* n. 25,12–15; H 9, S. 32) oder der göttlichen Kunst (s. o. n. 23,20) Eingefalteten. Die Identität ist *in* allen Dingen (vgl. n. 25,5) als das Prinzip ihres je eigenen mit sich selbst identisch-Seins. In dieser Identität aber besteht gerade die Differenz eines jeden zu

anderem mit sich Identischem. Die unendliche Identität (n. 25,9f.) setzt in ihrer Selbstmitteilung (n. 25,7f.) bzw. Teilgabe an sich (n. 25, 17f.) die Unterschiedenheit aus sich heraus. So sind Identität und Differenz, Einheit und Unterschiedenheit oder Andersheit nicht einander ausschließende Gegensätze sondern zusammengehörige Bestimmungen des endlich Seienden. Vgl. dazu das Kapitel »Realisierung des Bildes« in: W. Beierwaltes, *Denken des Einen*, S. 73–113.

25,8f.: UND OBWOHL SIE SICH ... UNENDLICH GUT IST] Vgl. *De vis. dei* 4 n. 10 (p I fol. 100r,32f.): visus tuus est bonitas illa maxima, quae seipsam non potest non communicare omni capaci. Der Gedanke ist neuplatonischer Herkunft. Das Gute, das identisch ist mit dem Einen Plotins, das er auch Gott nennt, gibt neidlos an seiner Fülle teil; vgl. *Enn.* VI 9,9,59; V 8,11,4f. Zum Gedankengang in *De visione dei:* Gottes Sehen ist sein Lieben, das mich (der ich seinen Blick auf mich gerichtet fühle und darin seine Liebe erfahre) nicht verläßt. Und Gottes Sehen ist sein Sein; daher bin ich, solange Gott mich anblickt. Auf die *capacitas* kommt es nun an, auf meine Empfänglichkeit, mein Fassungsvermögen, ihn aufzunehmen: Scio autem quod capacitas quae unionem praestat, non est nisi similitudo (Zeile 35). Vgl. dazu o. n. 17,10 (quousque se uniat) und n. 18,1 (assimilatio). Zur Bedeutung der Grundgedanken Plotins für die mystische Philosophie und Theologie vgl. einführend W. Beierwaltes, *Reflexion und Einung* (a. a. O., S. 9–36).

25,10f.: DIE UNENDLICHE SELBIGKEIT] Die un-endliche Identität ist die Identität *vor* aller Differenz, *vor* und *über* aller Gegensätzlichkeit, (vgl. n. 24,4) oder die Koinzidenz aller Möglichkeiten im absoluten Sein (später von Cusanus im »possest« gedacht). Als solche ist sie Ursprung des Endlichen, das durch Relativität und Proportionalität, Bezüglichkeit und Vergleichbarkeit bestimmt ist (geschaffen nach Maß, Zahl und Gewicht, *Weish.* 11,21), zu unterscheiden und zu begreifen mit Hilfe der Eins (s. o. n. 5,16–6,10) in der einigenden Rückführung zum Ursprung hin. Vgl. auch *De vis. dei* 3 n. 8 (p I fol. 100r,6f.).

25,12f.: IN JEDEM ANDEREN ANDERS AUFGENOMMEN] Vgl. *De dato patr.* 2 n. 99, 6–15 (h IV 74); *De mente* 2 n. 63,10–14 (h ²V 97f.). Die unendliche Identität konstituiert im Teilgeben an sich das Mit-sich-identisch-Sein oder das Wesen jedes Seienden. Dieses hat aber sein Identisch-Sein gerade im Verschieden-Sein von anderem. So wird die Identität »in jedem anderen anders« d.h. entsprechend

seiner je anderen Selbigkeit aufgenommen bzw. das eine einfachste Prinzip oder die nicht zu vervielfältigende Unendlichkeit (n. 25,13/16) expliziert sich in Verschiedenheit hinein.

25,15: SO GUT ALS MÖGLICH] Vgl. Raymund von Sabunde, *Theologia naturalis* pars I tit. 17 (S. 27): Deus produxit mundum meliori modo, quo fieri potuit et debuit, juxta exigentiam mundi; ita quod nihil ultra potuit addi vel minui, nec est aliquod superfluum. *De docta ign.* II 10 n. 154,13f. (H 15b, S. 82); G. v. Bredow, *Der Sinn der Formel »meliori modo quo«*, in: MFCG 6, Mainz 1967, S. 21–30; dazu K. Bormann in Anm. 1 zu Kap. 2 des *Compendium* (H 16, S. 62f.).

25,16–19: ABER DIE NICHT ZU VERVIELFÄLTIGENDE UNENDLICHKEIT ... BESSER AUS] Wir haben hier eine der wenigen expliziten Äußerungen des Cusanus über die positive Bedeutung der Unterschiedenheit der Dinge, d. h. der Vielheit des Geschaffenen vor uns; ähnlich in *Sermo CLXIII* (Nomen eius Iesus, p II 1 fol. 90^v,43–46): Cur tot sunt linguae nisi ut melius innominabile nominetur? Cur tot homines, nisi ut inexpressibilis humanitas melius explicetur? Cur tot creaturae, quae sunt imagines dei, nisi ut veritas melius in varietate explicetur, quae uti est est inexplicabilis? – Im allgemeinen ist für Cusanus' Denken der ontologische Vorrang des Einen bestimmend (s. auch o. n. 24,5f.). Vgl. dazu W. Beierwaltes, *Identität und Differenz,* a. a. O., S. 113.

25,22: ZUR SELBIGKEIT GERUFENE GESTALT] Vgl. *De gen.* 1 n. 149,8f.; 152,13f. (h IV 109; 111).

25,23–32: EINIGE NEHMEN AN IHR TEIL ... VERNUNFTLEBEN GIBT] Die Leiter (scala) der Seinsstufen bzw. der Grade der Teilhabe an der sapientia hat nicht immer die gleiche Anzahl Stufen; vgl. *Sermo VIII* n. 17,30–35 (h XVI 156): elementativa – vegetativa – sensitiva – rationalis. In *De fil. dei* 5 n. 81 (h IV 58; Übers. H 3, S. 45) unterscheidet Cusanus folgende modi der participatio der virtus absoluta in der sinnlichen Welt: caelestialiter – animaliter – vitaliter – vegetabiliter – mineraliter etc.

26,1f.: DAS ... NÄCHSTE ABBILD] Vgl. Augustin, *De div. quest. LXXXIII* q. 46,2 (CCSL XLIV A, S. 1–249; 73,65–71): anima rationalis inter eas res, quae sunt a deo conditae, omnia superat, et deo proxima est ...; *De mente* 3 n. 72,10f. (h ^{2}V 109f.).

26,5–8: LEBENDIG ... IN VERNUNFTHAFTEM LEBEN ... HERVORZUBRINGEN] Vgl. *De ludo globi* I n. 32 (p I fol. 156^r,5; Übers. H 13, S. 24); II n. 69 (p I fol. 161^v,26; Übers. H 13, S. 53). Die Rede vom *motus*

vitalis besagt, daß Bewegung ein Zeichen von Lebendigsein ist, daß Bewegung zum Wesen des Lebendigseins gehört, vgl. *Sermo LV* (Ego resuscitabo eos, p II 1 fol. 57v,39): non vivens non habet in se vitalem motum. So kann Cusanus auch von »vita seu motus rationalis animae« sprechen (*Sermo CLXXII,* Una oblatione consummavit, p II 1 fol. 98v,38 f.); deren Leben erweist sich in der Bewegung des Erkennen-Wollens. Der Heilige Geist ist als *spiritus vivificans* der Geist der Bewegung. – Zu motum exserere s. o. n. 18,6; vgl. auch *Sermo CLXVII* (Non in solo pane, p II 1 fol. 94r,28–32).

26,8–11: DIESE BEWEGUNG BESTEHT DARIN ... VORZUDRINGEN] Vgl. *Sermo CLXXXI* (Spiritus autem paracletus, p II 1 fol. 106r,24–27).

26,12 f.: SCHMECKEN MIT DER VERNUNFT] Vgl. *De fil. dei* 2 n. 61,12–14 (h IV 46; Übers. H 3, S. 34).

26,14 f.: VORKOSTEN] Degustare meint eine Kostprobe nehmen, vorkosten, probieren (»Weinprobe«). *Die Lebens=Beschreibung ... JOH. TAULERI* braucht als Äquivalent den Doppelbegriff »schmecken und versuchen« (S. 26).

26,15: DIE WESENHEIT, lat. quiditas] Das Wort, gebildet durch Substantivierung der Fragepartikel *quid,* wurde Mitte des 12. Jahrhunderts durch Dominicus Gundissalinus in seiner Übersetzung der Metaphysik des Avicenna in die philosophische Terminologie eingeführt; vgl. *De ven. sap.* Adn. 21, h XII 165, dort auch Weiteres zu Bedeutung und Geschichte des Begriffs. Ergänzendes zur Washeitslehre des Cusanus in *De apice theoriae – Die höchste Stufe der Betrachtung* (H 19, S. 66 ff.). Quiditas entspricht dem τὸ τί ἦν εἶναι des Aristoteles und bezeichnet die Wesenheit (auch essentia) oder Washeit eines Dinges, das, was ein Ding das sein läßt, was es ist. Jedes Ding hat seine eigene quiditas, auf die die Frage »quid est?« zielt. Die quiditas ist vollkommen, rein, genau, d. h. in ihrer Wahrheit, dem Erkennen nicht erreichbar; *De docta ign.* I 3 n. 10,18–20 (H 15a, S. 14); vgl. auch *De quaer, deum* 5 n. 49,20–22 (h IV 34; Übers. H 3, S. 27). Sie wird aber *an* jedem Ding berührt. Das »Organ«, mit dem der Mensch die Wesenheit berührt, ist der Geist selbst oder der Intellekt: mens nostra ... immutabiles concipit rerum quiditates utens se ipsa pro instrumento (*De mente* 7 n. 103,1.4 f.; h ²V 154 f.). »Allein der Geist also hat (bzw. *ist,* s. u. n. 29,19 zu *oculus mentis*) das Auge, die Washeit zu schauen (intueri, s. o. Anm. zu n. 24,3), und er kann sie nur schauen in der wahren Ursache, die die Quelle alles Verlangens ist« (*De gen.* 4 n. 170,1 f.; h

IV 121). Das Verlangen (desiderium) des Geistes ist, zu wissen (vgl. n. 9,3f.). Die Quelle des Verlangens, die sich in der Frage nach der Washeit der Dinge dem menschlichen Intellekt imponiert, ist Gott selbst als die absolute Wahrheit und erste Ursache der Dinge: Quid quaerit omnis intellectus nisi veram absolutam causam? (*De gen.* 4 n. 169,6; h IV 121) In der Frage nach der Washeit der Dinge fragt der Geist nach Gott: Illa vis intellectualis quiditatem rerum inquirit, et hoc est deum quaerere, qui est causa causarum (*Sermo XCVIII*, Videte, ne contemnatis, p II 1 fol. 74^r,26f.). Der Begriff von Gott als causa causarum zeigt, wie die entsprechenden Bildungen (quiditatum quiditas, n. 26,17f.; conceptionum conceptus, n. 34,4; forma omnium formabilium, n. 34,12) den doppelten Rückgang bzw. transcensus an, den das Erkennen leisten muß. Cusanus deutet den Weg in n. 26,12ff. an: Der Geschmackssinn dringt nicht zur Wesenheit des Dinges vor, nimmt aber doch gleichsam an ihrer Außenseite etwas wie Süße sinnlich wahr. So werde durch den Geist der geistige Wohlgeschmack (intellectualis suavitas) in der Washeit gekostet, welche ein Bild (imago) der Süße der ewigen Weisheit ist. Dem Überstieg vom sinnlichen zum intellektualen Bereich folgt oder entspricht der transcensus von der quiditas rei, der Washeit des Einzeldinges zu der alle Washeiten begründenden einzigen absoluten Washeit; oder anders exemplifiziert: der Abstraktion von der in der Materie ungenau dargestellten mathematischen Form auf ihre Wahrheit, die reine gedachte Form (vgl. *De mente* 7 n. 103,10f.; h ^{2}V 155), folgt die Koinzidenz aller Figuren im Unendlichen (s. u. n. 44,1–4; *De possest* n. 24,5ff.; H 9, S. 30) bzw. die Abstraktion von diversitas oder varietas (vgl. *De mente* 11 n. 129,20–22; 7 n. 106,1–8; h ^{2}V 183; 158).

Wir lasen oben (n. 13,2f.), das Erkennen des Geistes sei »Gespeistwerden mit Weisheit und Wahrheit«. Nikolaus führt in *Sermo CLXVII* (Non in solo pane, p II 1 fol. 94^r, 4–6) aus: Non enim pascitur intellectus nisi puro et simplici incorruptibili et invariabili vero. Pura quiditas et incorruptibilis essentia per considerationem abstracta pascit intellectum. »Der Geist nährt sich nur vom reinen und einfachen unzerstörbaren und unveränderlichen Wahren. Die reine Washeit und das unzerstörbare Wesen, durch die Betrachtung abstrahiert, nährt den Geist.« Die Bilder vom Sich-Nähren des Geistes und vom Schmecken der geistigen (= auf den Geist bezogenen, mit dem Geist wahrnehmbaren, *intellectualis)* Süße hängen miteinander zusammen. Ihre Intention ist, das Unanschauliche an

der Selbsterfahrung des denkenden Geistes zu verifizieren. Daß die Washeit, eine Abstraktion des Intellekts, in ihrer Süße *gekostet* wird (degustatur) und der Geist die Wahrheit, seinen unerreichbaren Gegenstand (obiectum), sich einverleibt, bringt die Dialektik von Nähe und Ferne ins Spiel, von Unmittelbarkeit und unendlichem Überstieg, die *facilitas difficilium* (n. 45,1), die allem Wissen von Gott eigen ist.

26,23 f.: DIE WESENHEIT DER WESENHEITEN] Vgl. *Apol.* n. 50 (h II 33,21); *Sermo CLXI* (Pax hominibus bonae voluntatis, p II 1 fol. 89ʳ,15).

26,25 f.: UNVERHÄLTNISMÄSSIG] Improportionalis, in keinem Verhältnis stehend und damit grundsätzlich unvergleichlich ist das Endliche in bezug auf das Unendliche; vgl. *Apol.* n. 47 (h II 32,7 f.).

27,8: MIT BRENNENDER LIEBE IHR ANZUHANGEN] S. o. n. 7,7; 12,7; vgl. Thomas von Kempen, *De imit. Christi* IV 17,1; Jan van Ruusbroec, *Speculum aeternae salutis* 18 (Opera omnia, Köln 1552, p. 13–47; 40); Heinrich Seuse, *Briefbüchlein,* VIII. Brief, an Elsbeth Staglin (hrsg. Bihlmeyer, a. a. O., S. 360–401; S. 384,15–20); weitere Belege bei Banz S. 58 (214 f.); *De possest* n. 35,3–9 (H 9, S. 42); *Brief an Nikolaus Albergati* n. 12 (CT IV 3, S. 30,17–19.

27,9: SCHMECKEN ... UND SEHEN, WIE KÖSTLICH] Vgl. *Ps.* 34 (Vulg. 33), 9 und das Zitat in *Sermo LXII* (s. o. Anm. zu n. 17,9 f.); Thomas von Kempen, *De imit. Christi* II 8,5.

27,10 f.: SO WIRD DIR ALLES GERING, WAS DIR JETZT GROSS ERSCHEINT] Vgl. *Theologia deutsch* cap. 53 (Zeile 32–35): yn welchem menschen das selbe volkummen bekant, befunden und gesmackt wirt, als vil *es* muglich ist yn der czeite, den menschen duncket alle geschaffen ding nichts seyn wider diß volkummen.

27,20: IN LIEBREICHSTER UMARMUNG] Vgl. *De vis. dei* 4 n. 11 (p I fol. 100ᵛ,1 f.).

28,6 f.: IN DER NÄHE DES TEMPELS DER EWIGKEIT] Vgl. *De mente* 1 n. 54,2 (h ²V 88). Die Lokalität ist nicht nachweisbar. Das zeitgenössische topographische Werk, das Cusanus in cod. Cus. 157 besaß: *Roma instaurata* von Flavio Biondio, führt im Register der Ausgaben Venedig 1543 und Basel 1559, die ich einsehen konnte, ein templum Aeternitatis nicht auf. Zu Aeternitas vgl. REA, I, 694 f.

28,14 f.: DIE GÖTTLICHEN DINGE ZU BETRACHTEN] Vgl. auch n. 39,4 f. IN DIESEN THEOLOGISCHEN BETRACHTUNGEN] *Speculatio,* griech. ϑεωρία, bezeichnet mit Aristoteles die betrachtende (theoretische) im Unterschied von der praktischen (bewirkenden) und

der poietischen (herstellenden) Wissenschaft. Sie ist von diesen Dreien »das Erfreulichste und Beste« (*Met.* 1072b24; Übers. von Friedrich Bassenge, Berlin 1960). Diese höchste der drei Wissenschaften ist wiederum, bezogen auf ihren Gegenstand, dreifach unterteilt in Physik (Naturwissenschaft als Betrachtung der beweglichen Dinge), Mathematik (Betrachtung der von der Materie abstrahierten unbeweglichen Formen) und Theologie (Wissenschaft vom Göttlichen), von denen die letztgenannte die ehrwürdigste Gattung ist, denn sie handelt von den ehrwürdigsten Dingen (*Met.* 1026 a6–23; 1064 b1–5). Auf Nikolaus (vgl. *De possest* n. 62,10–63; H 9, S. 78) ist diese Dreiteilung der spekulativen Wissenschaften und ihre Bezeichnung, wie sie Boethius eingeführt hatte ⟨Physik, Mathematik, Theologie⟩ (vgl. *De trin.* II Zeile 5ff.), über dessen Kommentatoren aus der Schule von Chartres sowie über Thomas von Aquin gekommen. Daß in unserem Dialog die höchste der Betrachtungen im Sinne des Aristoteles angestellt, nach den höchsten Dingen gefragt wird – höher als der Redner es von seinem Gesprächspartner erwartet hatte –, ist n. 10,3 und 28,11 mit dem Begriff *altissima* bzw. *altae theoriae* angezeigt. Der Erkenntnisweg der auf Gott gerichteten speculatio ist bei Nikolaus jedoch nicht der aristotelische schlußfolgernd-aufsteigende (vgl. *De mente* 14 n. 153,1–7; h ^{2}V 208), sondern die im platonischen Sinn verstandene einfache intellektuale Schau (s. o. zu n. 24,5f.), in der der Geist durch seine alleräußerste Spitze und Einfachheit, per supremam sui ipsius acutiem et simplicitatem (*De possest* n. 63,5f.; H 9, S. 78) den Unbegreifbaren unbegreifenderweise begreift (s. o. n. 12,6f.).

28,18f. GOTT GRÖSSER ... ALS DASS ER BEGRIFFEN WERDEN KÖNNTE] Die Formulierung läßt die Bestimmung aus dem Gottesbeweis des Anselm von Canterbury anklingen: aliquid quo maius nihil cogitari potest, etwas, über dem nichts Größeres gedacht werden kann (*Proslogion* 2, lat.-deutsche Ausg. hrsg. F. S. Schmitt, Stuttgart 1962, S. 84). Nikolaus greift sie auch in *De venatione sapientiae* auf, dort mit ausdrücklichem Bezug auf Anselm (cap. 26 n. 77,6f.; H 14, S. 116). Allerdings macht Cusanus die überkommene Formulierung seinem eigenen Gedanken dienstbar: war die Richtung des Schlusses bei Anselm »Wenn ich ein solches, in bezug auf das nichts Größeres gedacht werden kann, *denke,* so muß diesem Gedachten ein *Sein* entsprechen; also *ist* der oder das so Beschriebene, nämlich Gott« – so geht dagegen Cusanus von der Existenz Gottes fraglos aus und macht an dieser Voraussetzung (die übrigens als von der

Tradition her verbürgte vom *Redner* ausgesprochen wird) folgenden Gedanken fest: »Wenn Gott größer ist als daß er begriffen werden könnte, in jedem Begriff aber der im Begreifen nicht Auszuschöpfende begriffen wird (s. o. n. 8,9–13; 9,5 f. 20–23), so nähert sich der Begriff vom Begriff dem Unbegreifbaren« (n. 28, 21 f./24 f.), bewegt sich in Richtung auf ihn. Die grundsätzliche, weil in seiner Unendlichkeit begründete Unbegreifbarkeit Gottes wird nicht, als bloße Negation gedacht, für menschliches Begreifen ein Unbezügliches, sondern so wahr unendlich und endlich zueinander nicht ins Verhältnis zu bringen sind (finiti ad infinitum nulla est proportio; *De docta ign.* I 3 n. 9,4 f.; H 15a, S. 12; s. o. n. 26,18 f.), weil das Unendliche quantitierend nie erreicht wird, ist doch der menschliche Geist immer schon in Bewegung auf das hin, was seinem natürlichen Drang nach Wissen (n. 9,3 f.) die Richtung gibt, den Urgrund, der sich im Seienden, wennzwar nur im Rätselbild, aenigmatice (s. u. n. 47,4) entbirgt, aber gerade in seinem Verborgensein den Geist in einer bleibenden dialektischen Beziehung zu sich hält und seiner selbst als lebendigen vergewissert (s. o. n. 18,12–16; 26,3–8).

28,23 f.: DER UNBEGREIFBARE BEGRIFFEN] Vgl. dasselbe Denkmodell oben n. 8,9–13; 9,5–22.

29,1 ff.: Im Folgenden spielt Cusanus nun durch, wie im Begriff vom Begriff (n. 28,21 f./25) jeweils der Begriff an ihm selbst oder der absolute Begriff erscheint. Am genauen, richtigen, wahren, gerechten und guten Begriff von Gott zeigt er, wie im Rückgang auf die absolute Genauigkeit, Richtigkeit usw. der Fragende sich vor den Grund des Gefragten und damit ans Ende seiner Fragebewegung bringt, indem jeder Begriff an den Unbegreiflich-Unbegriffenen rührt. Die hermeneutische Methode des Cusanus in diesem zweiten Gesprächsgang ist das Zurückverweisen (remittere, vgl. n. 29,18), indem er die jeweilige Bestimmung zurückführt auf das Was selbst oder die absolute Washeit (s. o. n. 26,15 zu quiditas). Dieser Denkbewegung liegt die theologische Voraussetzung zugrunde, daß in Gott alle Attribute miteinander identisch und Gott selbst sind. Gott *hat* nicht Güte oder Wahrheit, er *ist* die Güte und Wahrheit selbst (vgl. Thomas von Aquin, *De ente et essentia* 6; ed. M. D. Roland-Gosselin, Bibliothèque Thomiste VIII, Paris 1948, S. 37; deutsch-lat. Ausg. v. R. Allers, Frankfurt a. M. – Hamburg 1959, Fischer TB 293, S. 51): Aliquid enim est, sicut Deus, cuius essentia est ipsum suum esse; et ideo inveniuntur aliqui philosophi dicentes quod Deus non habet quiditatem vel essentiam, quia essentia sua

non est aliud quam esse suum. Als der absolute Seinsgrund ist Gott ontologisch das einer jeden Frage Zugrundeliegende, logisch gesehen: die absolute Voraussetzung; vgl. n. 30,13–15.

29,3f.: GOTT IST DIE ABSOLUTE GENAUIGKEIT SELBST] Vgl. *De coniect.* II 16 n. 168,30f. (H 17, S. 200).

29,19: DIE AUGEN DES GEISTES] Vgl. *Sermo CXXXI* (Intuimini quantus sit iste, p II 1 fol. 79^r,39–42), wo Cusanus als Beispiel anführt, daß wir mit Hilfe des *oculus mentis* im sinnlich wahrnehmbaren Wort das erkennen, was der Redende meint (intentionem proferentis); was ohne dieses Auge nicht erkannt würde. Die Wendung »Auge des Geistes« meint den Geist als Auge: mens dicitur oculus animae rationalis (ebd.). Vgl. auch *Sermo CCXII* (Plenitudo legis est dilectio, p II 1 fol. 164^v,4–6). Die Metapher geht zurück auf Platon, der *Respubl.* 533d 2 vom Auge der Seele (τῆς ψυχῆς ὄμμα) spricht. (Nikolaus besaß das Werk in cod. Cus. 178 in der Übersetzung des Petrus von Candia.) Der Begriff war Cusanus wichtig, wie mehrere Randnotizen von seiner Hand zeigen; vgl. *De ven. sap.* 36 n. 106,4 (h XII 99) und Anm. sowie *De apice theoriae* n. 16,1 (H 19, S. 28) und Anm. Die Wendung »oculus mentis« findet sich bei Augustin, *Enarr. in Ps.* 44,1 n. 3.,61–63 (CCSL XXXVIII 496). Nikolaus braucht das Bild vom Auge des Geistes häufig (s. Anm. zur Stelle h ^{2}V), meist verbunden mit der Aufforderung, es zu »erheben« (elevare). Die Metapher veranschaulicht den Doppelcharakter, der für Cusanus die intellektuale Erkenntnis auszeichnet: daß sie eine *Erkenntnis*weise ist, und zugleich in ihrer Unmittelbarkeit und Unableitbarkeit ein Schauen. Dasselbe meint die Rede vom »inneren Auge«, z. B. *De vis. dei* 10 n. 38 (p I fol. 103^v,25): nitor oculis interioribus intueri veritatem. Das innere Auge schaut jenseits des Bereichs der Unterschiedenheit die eine Wahrheit. Sein Sehen ist wie das »Schmecken« (gustare) Metapher für die Erfahrung (vgl. die Fortsetzung des angezogenen Textes: tunc clare experior...).

29,23–25: SO DASS SIE SICH DEM FRAGENDEN ... GEFRAGT WIRD] Vgl. *Complement. theol.* 4 (p II 2 fol. 94^v,7–9): das, was in jedem Fragen vorausgesetzt wird, ist selbst das Licht, das auch zum Erfragten hinführt.

29,27f.: JEDE FRAGE ÜBER GOTT SETZT DAS GEFRAGTE VORAUS] Vgl. auch n. 30,6–8 und 9–11. Nikolaus zieht in dieser Argumentation gleichsam den Umkehrschluß zum ontologischen Gottesbeweis Anselms von Canterbury (s. o. zu n. 28,18f.): Gott als die

erste Ursache von allem (beachte den vergleichsweise angezogenen Schluß von der Wirkung auf die Ursache in n. 30,15) ist nicht nur die seinsmäßige Voraussetzung aller Benennungen (significatio) und Bestimmungen (terminus) von Seiendem, sondern liegt zugleich allem Fragen in bezug auf ihn selbst als einender Grund (ratio) voraus (zu *ratio* s. u. n. 35).

30,7–13: WENN MAN DICH ALSO FRAGT ... MIT ALLEM] Vgl. *De coniect.* I 5 n. 19,6–14; 20,10–18 (H 17, S. 22). Hier führt Cusanus die Reihe der Fragen fort: ob etwas sei; was es sei; warum es sei; zu welchem Zweck es sei. Vgl. Aristoteles, *Anal. poster.* 89b23. Zur Tradition und verschiedenen Ausformung der Reihe vgl. *De coniect.* Anm. 16 (h III 199).

30,14–17: DENN GOTT ... VORAUSGESETZT WIRD] Vgl. Platon, *Respubl.* 511 a–c.

31,8: DIE ABSOLUTE NOTWENDIGKEIT] Vgl. *De mente* 7 n. 97,13–15 (h ^{2}V 146f.), wo Cusanus vier Seinsweisen unterscheidet; dazu H. Schnarr, *Modi essendi. Interpretationen zu den Schriften De docta ignorantia, De coniecturis und De venatione sapientiae von Nikolaus von Kues.* Buchreihe der Cusanus-Gesellschaft Bd. 5, Münster 1973, S. 24ff. – Thierry von Chartres, *Lectiones* II 9 (157,87–91). Der oberste modus uniuersitatis ist die »eterna simplicitas que uocatur absoluta necessitas...« (II 14; 159,55–59).Vgl. auch Clarembald von Arras, *Tractatus super librum Boethii De trinitate* II n. 43 (LaW 124).

31,10: JEDE UNGEWISSHEIT IN GOTT GEWISSHEIT] Vgl. *De coniect.* I 5 n. 19,4–8 (H 17, S. 22); *De apice theor.* n. 13,14–17 (H 19, S. 22).

31,28: DIE AN DER WEISE DER ABSOLUTEN GENAUIGKEIT TEILHAT] Vgl. *De fil. dei* 1 n. 53,1–10 (h IV 40; Übers. H 3, S. 29): »Die Teilhabe besteht darin, daß unser Geist die Mächtigkeit hat, die Wahrheit selbst zu erfassen.« Cusanus fährt fort: Et haec est sufficientia ipsa, quam ex deo habet virtus nostra intellectualis, quae ponitur per excitationem divini verbi in actu apud credentes. An dieser Stelle scheint außer 2. *Kor.* 3,5 auch 2. *Kor.* 12,9 anzuklingen (vgl. virtus Christi). Das Stichwort *excitatio* spricht das Zuvorkommen der gnadenhaften Einstrahlung an (vgl. o. n. 17,5f. motus desideriosus in excitatione); s. dazu noch einmal das Zitat aus *De coniecturis* in Anm. zu n. 31,10: der menschliche Geist bedarf der von außen kommenden Erleuchtung bzw. als Fragender erfährt er sich schon immer als im Licht der Antwort stehend.

31,32f.: UNSER ZUREICHEN] »Sufficienta nostra« ist von Nikolaus hier doppelsinnig verwendet. Es bezeichnet einmal (wie in Zeile 20/25) im Sinn von 2. *Kor.* 3,5 als Äquivalent für das griechische ἱκανός, ἱκανότης das Genügen in der Bedeutung von Zureichen, Hinreichen. Dabei spielt das Sich-Genügen-lassen hinein und andererseits das, was Luther *Joh.* 10,11 mit »volle Genüge haben« wiedergibt (Vulg. V. 10 abundantius), im Mittelhochdeutschen als genugde und genuhtsamkeit (Fülle, Reichtum) unterschieden.

32,16: IN BEJAHENDEM SINN GESAGT] Vgl. Johannes Scottus, *Periphyseon* I (74,3–5). Der ΚΑΤΑΦΑΤΙΚΗ (der zusprechenden) ist entgegengesetzt die Redeweise per negationem, die ΑΠΟΦΑΤΙΚΗ, s. folgende Anm. zu n. 32,18f.

32,18f.: DIE WAHRERE ANTWORT AUF JEDE FRAGE DIE VERNEINUNG] Vgl. Johannes Scottus, *Periphyseon* II (4,29f.) u. ö.; E. R. Dodds, *Stoicheiosis theologike, The Elements of Theology*, Oxford [2]1963, Appendix I The Unknown God in Neoplatonism, S. 310–313; *De docta ign.* I 24–26 (H 15 a, S. 96ff.); weitere Quellen des Gedankens und cusanische Belege s. *De possest* n. 66,2–4 und Anm. (h XI 2 78).

32,20–22: ABER AUF DIESE WEISE ... NICHT IST] Vgl. Augustin, *De trin.* V c. 1 n. 2,44–46 (CCSL L 207); Johannes von Salisbury, *De septem septenis* VII (PL 199, 945–964; 963A).

32,24f.: WIE ER ÜBER ALLER SETZUNG UND WEGNAHME IST] Um von Gott zu reden, ist allein eine Redeweise angemessen, die über aller bejahenden und verneinenden (absprechenden) Redeweise ist, weil ihr Gegenstand die vollkommene und einzige Ursache von allem ist und die höchste Erhabenheit (excellentia) selbst; vgl. Dionysius Areopagita, *De mystica theologia* 1,1 (PG 3, 1000B; 1047). Johannes Scottus nennt diese Redeweise cauta et salutaris et catholica de deo praedicanda professio (*Periphyseon* I, 216,27ff.). Cusanus streicht an und vermerkt am Rand seines Exemplars (Londin. Mus. Brit. Addit. 11 035, fol. 84[r]): nota intellectum catholicum. Dionysius wird zitiert von Bonaventura, *Itin.* VII 5 (V 313a), frei wiedergegeben von Heinrich Seuse, *Vita* Kap. 52 (S. 190,4–20).

32,25–27: UND DANN VERNEINT DIE ANTWORT ... VERBINDUNG BEIDER] Vgl. *De coniect.* I 5 n. 21,5–12 (H 17, S. 24); *De fil. dei* 5 n. 83,7–17 (h IV 59f.; Übers. H 3, S. 83); *Sermo CCLV* (Multifarie multisque modis, p II 1 fol. 156[r], 35–44).

32,37: SONDERN DARÜBER] Vgl. Johannes Scottus, *Periphyseon* I

(84,1–14); dazu Cusanus am Rand: nota quare superessentiale deo proprie conuenit.

33,2: AN DIE REDE GEBUNDENEN] Der Begriff »sermocinalis« erscheint bei Johannes Gerson, *De duplici logica* (ed. Glorieux III 91, S. 57–63; 58): notandum summo opere arbitror juxta etiam Philosophi sententiam quod duplex est logica; quaedam subserviens scientiis naturalibus ac pure speculativis, quae usitato nomine et quasi autonomastice logica nominatur et quae ad omnium methodorum viam habere discribitur ab Hispano; quae sermocinalis a quibusdam nominatur. Porro altera est logica quam appropriato vocabulo rethoricam dicimus. »Sermocinalis« werde also zuweilen die Logik genannt, die den spekulativen Wissenschaften dient. Die höchste von diesen ist, wie oben zu n. 28,14f. ausgeführt wurde, die Wissenschaft von Gott, die Theologie. Theologia sermocinalis ist also die Theologie, sofern sie sich durch das allgemeine, alltägliche (vgl. n. 36,13.17) Reden und Sprechen von Gott zu einer Erkenntnis über Gott führen läßt. Vgl. Heinrich Seuse, *Vita* Kap 51 (hrsg. K. Bihlmeyer, Stuttgart 1907, S. 176,5–8): »Die maister sprechent, got der enhab enkein wa, er sie al in al. Nu tů dú inren oren uf diner sele und los eben. Die selben maister sprechent och in der kunst Loyca, wan kom etwen in ein kuntsami eins dinges von sines namen wegen. Es sprichet ein lerer, dazu der nam wesen der erst nam sie gotes.« Mit Logik ist hier also nicht die Satzlogik gemeint, sondern der in der Bezeichnung selbst aufscheinende Logos (vis vocabuli). Vgl. auch noch Albertus Magnus, *Summa theologiae,* pars I tract. 1 q. 3 membr. 1 contra 1 (Opera omnia, ed. A. Borgnet, XXXI, Paris 1895, S. 13), wo Albert bei der Frage nach dem Gegenstand der Theologie sermotionales von realibus scientiis unterscheidet.

33,4: DIE BEDEUTUNG DES WORTES] Das griechische Äquivalent zu *vis vocabuli* ist δύναμις τῶν ὀνομάτων; vgl. Aristoteles, *Soph. el.* 165 a 2–13. Vgl. dazu die sprachphilosophischen Ausführungen des Cusanus in *De mente* 2 n. 58,9–59,9 (h ^{2}V 92ff.), dazu K. O. Apel, *Die Idee der Sprache bei Nicolaus von Cues,* in: Archiv für Begriffsgeschichte Bd. 1, Bonn 1955, S. 200–221. Apel zeigt hier, wie Cusanus von der Logosmystik her die platonische Ideenlehre (nach dem 7. Brief) umbildet und zugleich die Denkbewegung einer nominalistisch-empirischen Verstandesforschung vorausweisend vollzieht. Cusanus verbindet Physei- und Nomo-Theorie der Sprache. S. auch *Directio speculantis* 2 (h XIII 6,12–16). Grundlegend und Lit.: H.

Brinkmann, *Mittelalterliche Hermeneutik*, Darmstadt 1980, S. 21 ff.

34,3: ZUERST] Vgl. n. 28,18–22/21–25.

34,8–11: DA ALSO DAS BEGREIFEN ... BEGREIFEN] Vgl. *De mente* 13 n. 146,9–147,14 (h ^{2}V 199ff.).

34,13: DIE KUNST DES ABSOLUTEN GEISTES] Cusanus vergleicht Gott mit einem Künstler. Dieser bildet zuvor in seinem Geist einen Begriff, entwirft ein Bild des zu Bildenden, des Artefakts. Zum schöpferischen Vorgang im menschlichen Geist vgl. *De mente* 2 n. 62,8.13f.; 6 n. 92,12f.; 10 n. 127,6f. (h ^{2}V 96; 137; 180).

35,1 f.: DIESER BEGRIFF ... WESENSGRUND GENANNT] Vgl. *De vis. dei* 10 n. 41 (p I fol. 104^r,16f.): Unicus enim conceptus tuus, qui est verbum tuum, omnia et singula complicat. Zu *verbum seu ratio* s. o. n. 23,1 f. Im Konzept oder Wort Gottes, durch das alles gemacht ist (n. 21,7), ist alles »drinnen« (n. 35,3f.) oder prioriter enthalten (Zeile 6). Cusanus macht dies in *De visione dei* (ebd.) vom Begriff der Koinzidenz her deutlich: Weil Gottes Konzeptus die einfachste Ewigkeit selbst ist, die unendliche Dauer aber alle Aufeinanderfolge, in der wir die Dinge entstehen sehen, umschließt, deshalb fallen im *conceptus absolutus* successio temporalis und nunc aeternitatis zusammen. Daß es in seinem Begreifen kein Früher oder Später gibt, macht die Omnipotenz Gottes aus (ebd. n. 42); s. o. n. 23,13f. perfectissima omnipotentis artis idea.

35,10f.: DER IN SICH ALLES VORGÄNGIG EINFALTET] S. o. n. 23,12; *De possest* n. 40,14f. (H 9, S. 46); *De ludo globi* II n. 86 (p II 1 fol. 164^r,2–8; Übers. H 13, S. 67).

35,11: AUS DER TIEFE DES GEISTES] Vgl. *De docta ign.* III 12 n. 258 (in H 15 c, S. 93 profunda mente meditari wiedergegeben mit »intensiv überdenken«). Die von Cusanus häufiger benutzte Wendung ist profunda mente intueri, vgl. *De coniect.* I 5 n. 18,1 (H 17, S. 20; hier übersetzt »Betrachte mit tiefschürfendem Geist«).

35,12f.: VOM ABSOLUTEN BEGRIFF ODER BEGRIFF AN SICH] Vgl. *De possest* n. 40,19 (H 9, S. 46).

36,8–11: DIE GANZE GOTTESLEHRE ... BEWAHRHEITET WIRD] Vgl. *De docta ign.* I 21 n. 66 (H 15 a, S. 86–88); *De vis. dei* 3 n. 8 (p I fol. 99^v/100^r). Zur Herkunft des Gedankens der theologia circularis vgl. E. Colomer, *Nikolaus von Kues und Raimund Llull, Quellen und Studien zur Geschichte der Philosophie* II, Berlin 1961, S. 88f.

37,7–11: DENN »GENAU« ... WENIGER ZU] Vgl. *De beryllo* 13 n. 14 (H 2, S. 16).

38,7f.: WIE WIR ES BEI DER ZAHL ... ERFAHREN] Über das an kein Ende kommende Zählen und die unendliche Teilbarkeit einer endlichen Linie handelt Cusanus in *De docta ign.*, z.B. I 5 n. 13; 17 n. 47 (H 15a, S. 20–22; 62–64).

38,30–33: VON MEHREREN URBILDERN ... ZUSAMMENFALLEN] Vgl. *De mente* 2 n. 67–68 (h ^{2}V 103ff.); *De possest* n. 22,1–3 und Anm. (h XI 2 27).

39,2f.: NUR EIN ABSOLUTES URBILD ... GESAMT DER DINGE] Vgl. *De docta ign.* II 9 n. 149 (H 15b, S. 74–76).

39,4f.: IN DIESEN THEOLOGISCHEN BETRACHTUNGEN] S. o. Anm. zu n. 28,14f.

39,13f.: ALS DEIN GESICHT ALLE ... BILDER UMSCHLIESST] Ein Beispiel vom Gesicht und seinen Abbildungen führt Cusanus auch in *Sermo CLXVII* an (Non in solo pane, p II 1 fol. 94^{r},15–25). Das Verhältnis von Urbild und Abbild wird als Problem von Kontraktion und Ähnlichkeit, bezogen auf das *exemplar absolutum* (n. 40,11) breit abgehandelt *De vis. dei* 6 n. 17ff. (p I fol. 101^{rv}). Gottes unsichtbares, inkontrahibles Angesicht ist die absolute Form, die Wahrheit und das angemessenste Maß aller (konkreten ausgedehnten) Gesichter. Die Wahrheit, die (nach ihrer klassischen Definition) Gleichheit ist (aequalitas; s. auch u. n. 40,2), ist losgelöst (absoluta) und als unendliche erhaben über alle Quantität. Wenn wir das merken, uns darauf richten (attendere), kommt unser Denken ins Stolpern: ducor in stuporem (*De vis. dei* ebd. fol. 101^{r},17). Entsprechend wirft in unserem Text n. 32,1 der Redner ein: Quis non stuperet haec audiens? Ähnlich n. 30,17f. Derselbe Wortstamm erscheint mit *stupidus (-a, -um)* in n. 17,11. Hier wird deutlich, daß *stupor* nicht nur das verblüffte, verdutzte Staunen ist, sondern daß auch das Phänomen des Erstarrens, von dem wir aus den Selbstzeugnissen der Mystiker wissen, in diesem Begriff mitschwingt.

39,21f.: DA DIE GENAUIGKEIT NICHT VON DIESER WELT IST] Vgl. *De docta ign.* I 1 n. 4; II 1 n. 91 (H 15a, S. 8; 15b, S. 4).

39,22f.: DAS EINE SO, DAS ANDERE SO EXISTIEREN MUSS] Vgl. *De fil.dei* 1 n. 54,21f. (h IV 42; Übers. H 3, S. 22); s. o. n. 25,11f.

39,23f.: VON ALL JENEN VERSCHIEDENHEITEN NUR EIN URBILD] Vgl. *De docta ign.* I 17 n. 48 (H 15a, S. 64). Cusanus verweist hier – unter Berufung auf Chalcidius – auf Platon und fügt irrtümlich hinzu »in Phaedone«; tatsächlich handelt es sich um *Timaios* 31a und Chalcidius *In Tim.* 330 (Plato Latinus IV, ed. R. Klibansky,

London–Leiden 1962, S. 324). *De docta ign.* II 9 n. 148 (H 15b, S. 72–74); *De mente* 2 n. 67 (h²V 103f.).

40,29f.: WAS NICHT GRÖSSER SEIN KANN ... GROSSE] Vgl. *De docta ign.* I 4 n. 11 (H 15a, S. 16).

41,7f.: DAS GRÖSSTE, MIT DEM DAS KLEINSTE ZUSAMMENFÄLLT] Vgl. *De docta ign.* I 4 n. 11 (H 15a, S. 16).

41,11f.: WAS WEDER GRÖSSER NOCH KLEINER IST, NENNEN WIR GLEICH] Vgl. Boethius, *De institutione arithmetica* I 21 (S. 45,13–15).

41,12–16: DAS ABSOLUTE URBILD ... ALLES ABBILDBAREN IST] Vgl. *De docta ign.* I 23 n. 71–72 (H 15a, S. 92–94); *De possest* n. 9 (H 9, S. 10–12).

42,1–3: WIE DER ABSOLUTEN RICHTIGKEIT ... ZUKOMMT] Vgl. *Compl. theol.* 7 (p II 2 fol. 95ᵛ,43–46).

42,4f.: JE GRÖSSER EIN KREIS, DESTO GRÖSSER SEIN DURCHMESSER] Vgl. *De docta ign.* I 13 n. 35 (H 15a, S. 46–48).

42,13f. UND DA DER UMFANG ... DURCHMESSER SEIN] Vgl. *De docta ign.* I 21 n. 64,1–6 (H 15a, S. 84).

42,14f.: ZWEI UNENDLICHE ... KANN ES NICHT GEBEN] Vgl. *De mente* 2 n. 60,10 (h ²V 94).

42,25–27: DASS DER BOGEN ... KLEINEN KREISES] Vgl. *De docta ign.* I 18 n. 52, 13f. (H 15a, S. 70).

42,27–32: DAHER WÄRE ... GERADHEIT] Vgl. *De docta ign.* I 13 n. 35; II 2 n. 99 (H 15a, S. 46–48; 15b, S. 14).

43,18f.: TAGS ZUVOR ... URBILD IST] S. o. n. 23,4–10/7–11.

44,1–4: DIE UNENDLICHE LINIE KREIS ... ZUSAMMEN] Vgl. *De docta ign.* I 13 n. 35; II 5 n. 119,1f. (H 15a, S. 46–48; 15b, S. 38); *Compl. theol.* 9 (p I 2 fol. 97ʳ,3–5).

44,11f.: DAS UNENDLICHE DREIECK] Vgl. *De docta ign.* I 12 n. 34,10; 14 n. 37–38 (H 15a, S. 46; 52–54).

44,27f.: DAS GENAUESTE URBILD EINES GEGEBENEN DREIECKS] Vgl. *Compl. theol.* 5 (p II 2 fol. 95ʳ,34–39).

45,1f.: LEICHTIGKEIT DES SCHWIERIGEN] S. u. zu n. 47,8f.

46,1–3: DER MICH GANZ EINFÄLTIGEN MENSCHEN ALS ... WERKZEUG GEBRAUCHT HAT] Ein Topos in dieser Art von Dialogen. Wir finden ihn auch im Munde des *schlechten* (= schlichten) *Layen,* der den *grossen Doctor der H. Schrifft* Johann Tauler über das vollkommene Leben belehrt (*Lebens=Beschreibung,* S. 19).

46,7–9: DICH [...] WENDEST] Eigentlich: dich hinüberträgst. Transferre ist sonst im allgemeinen mit »übertragen« wiederzuge-

ben; vgl. die sinnverwandten Stellen *De fil. dei* 2 n. 57,1–7 und 58,4–6 (h IV 43; 44); *De possest* n. 11,12 (H 9, S. 14); s. auch Anm. zu n. 46,9 und 47,19.

46,9: DANN WIRST DU SEHEN] »Intueri« meint das intellektuale (vernunfthafte) Sehen bzw. Schauen; s. o. n. 35,10; vgl. *Compl. theol.* 5 (p II 2 fol. 95r,18–22). Zu diesem Schauen steigt der Geist auf (ascendit) bzw. erhebt sich (se elevat, s. Zeile 22); in unserem Text versetzt er sich (se transfert) auf die Höhe der Betrachtung, deren Gegenstand die Absoluta sind. In jedem Fall setzt *intueri* den Überschritt von der rationalen zur intellektualen Betrachtungsweise voraus.

46,16 f.: WIRKLICHKEIT VON ALLEM, WAS IST UND WERDEN KANN] Vgl. *De possest* n. 8,5–8 (H 9, S. 8).

46,28–31: DIE ABSOLUTE UND UNENDLICHE GERADHEIT ... EINGESCHRÄNKTE GERADHEIT] Vgl. *Compl. theol.* 7 (p II 2 fol. 95v,41–45).

46,35–37: DAS UNENDLICHE ALLES ENDLICHEN ... VOLLKOMMENHEIT] Vgl. *De docta ign.* I 16 n. 45 (H 15 a, S. 60–62).

47,5 f.: VERMITTELS EINES RÄTSELBILDES] Vgl. 1. *Kor.* 13,12; *Coniectura de ultimis diebus* n. 123 (h IV 91); *De possest* n. 54,3–5 und Anm. (h XI 2 65); *De beryllo*, adnot. 4 (h XI 1 101 f.); *De possest* (H 9), Einleitung zu n. 25; 39; 58; 72.

47,7 f.: DASS ER OHNE RÄTSEL UNS SICHTBAR WIRD] Vgl. *Sermo LVII* (Memoriam fecit mirabilium, p II 1 fol. 62r,10–12): ibi scilicet per apprehensionem ipsius, qui est vita, per apertam visionis intuitionem, hoc est per purum et clarum absque aenigmate intellectum veritatis, quam intelligere est ei uniri in vita aeterna.

47,8 f.: DES SCHWIERIGEN LEICHTIGKEIT] Vgl. *Sermo LXII* (Maria optimam partem elegit, p II 1 fol. 67r,34–37): Haec est facilitas difficilium: ut in omnibus unum necessarium et omnia in eius assimilatione esse cognoscentes sedeamus et audiamus quomodo in nostra ratione omnia loquantur unum et quod omnia nitantur ipsum unum exprimere per assimilationem et tamen hoc facere nequeant, cum assimilatio semper deficiat ab uno. Weitere Belege und Lit. s. *De apice theor.*, Anm. zu n. 5,11 und 12 (H 19, S. 80–82).

47,12: WAHRHEITSGENUSS] »Fruitio« ist nach Augustin der höchste Lohn der Ewigkeit; vgl. *De doctr. christ.* I 32,35 (CCSL XXXII 26,17–19). Frui meint kosten, schmecken, genießen (mittelhochdeutsch »niessen«). Gegenüber gustare enthält es neben dem Element der sinnlichen Erfahrung und damit des Bei-sich-habens das Beseligende. Treffend wird es daher *De docta ign.* III 12 n. 255

und 259 wiedergegeben mit »glückseliger Besitz«, »genießender Besitz« (H 15c, S. 89; 95); s. auch Anm. zu n. 259, 12–14 und 24 (S. 155). Noch Johann Arndt gibt fruitio mit »Niessung« wieder; vgl. *Vom wahren Christenthum*, Buch V (*Gesammelte Kleine Schrifften*, Leipzig und Görlitz 1736, S. 347ff.) Cap. V 10, S. 358. S. auch Heinrich Seuse, *Büchlein der Ewigen Weisheit* Kap. XII (S. 244,16–20).

47,19: VERSETZT] »Transferre« ist wiederum gebraucht zur Bezeichnung eines qualitativen Übergangs bzw. Überführens: hier das endzeitliche Versetzen in die fruitio veritatis, das selige Genießen der Wahrheit in ihrem vollen Licht.

VERZEICHNIS DER SIGLEN

AC	Acta Cusana. Quellen zur Lebensgeschichte des Nikolaus von Kues. Im Auftrag der Heidelberger Akademie der Wissenschaften hrsg. von E. Meuthen u. H. Hallauer, Hamburg 1976 ff.
Banz	Romuald Banz, Christus und die Minnende Seele. Zwei spätmittelhochdeutsche mystische Gedichte, hrsg. von Romuald Banz, Germanistische Abhandlungen Heft 29, Breslau 1908/Nachdruck Hildesheim 1977
BGPhMA	Beiträge zur Geschichte der Philosophie des Mittelalters, Münster 1891 ff.
CCSL	Corpus Christianorum. Series Latina, Turnhout 1954 ff.
CSEL	Corpus scriptorum ecclesiasticorum Latinorum, Wien 1866 ff.
CT	Cusanus-Texte. Sitzungsberichte der Heidelberger Akademie der Wissenschaften. Philosophisch-historische Klasse, Heidelberg 1929 ff.
DW	Meister Eckhart. Die deutschen Werke, Stuttgart-Berlin 1936 ff.
EKG	Evangelisches Kirchengesangbuch, hrsg. vom Verband Evangelischer Kirchenchöre Deutschlands, 1950
GL	Gotteslob, Katholisches Gebet- und Gesangbuch, hrsg. von den Bischöfen Deutschlands, Österreichs und der Bistümer Bozen-Brixen und Lüttich, 1975
h	Nicolai de Cusa opera omnia iussu et auctoritate Academiae Litterarum Heidelbergensis ad codicum fidem edita, Leipzig-Hamburg 1932 ff.
H	Schriften des Nikolaus von Kues in deutscher Übersetzung, im Auftrage der Heidelberger Akademie der Wissenschaften herausgegeben, Leipzig 1936 ff., Hamburg 1948 ff. (Philosophische Bibliothek)

JLH	Jahrbuch für Liturgik und Hymnologie, Kassel 1955 ff.
LaW	Life and Works of Clarembald of Arras, a Twelfth-century Master of the School of Chartres, by N. M. Häring, Pontifical Institute of Medieval Studies, Studies and Texts 10, Toronto 1965
LW	Meister Eckhart. Die lateinischen Werke, Stuttgart-Berlin 1936 ff.
Meyer KEK	Kritisch-exegetischer Kommentar über das Neue Testament, begründet von Heinrich August Wilhelm Meyer
MFCG	Mitteilungen und Forschungsbeiträge der Cusanus-Gesellschaft, Mainz 1961 ff.
n.	Randnummern in h und H.
p	Editio Parisina. Nicolai de Cusa Cardinalis opera edidit Jacobus Faber Stapulensis, Parisiis, apud Iod. Badium Ascensium, 1514.
PDM	Deutsche Mystiker des 14. Jahrhunderts, hrsg. von Franz Pfeiffer, 2 Bände, Leipzig 1845 und 1857/Aalen ^{2}1962
PG	Patrologiae cursus completus. Series Graeca, accurante I. P. Migne, Paris 1857 ff.
PL	Patrologiae cursus completus. Series Latina, accurante I. P. Migne, Paris 1844 ff.
S. theol.	Thomas von Aquin, Summa theologiae (Opera omnia, Romae 1882sqq., tom. IV–XII), Rom 1888–1906
REA	Paulys Realencyclopädie der Classischen Altertumswissenschaft, Stuttgart 1893 ff. (Neue Bearbeitung. Unter Mitwirkung zahlreicher Fachgenossen hrsg. von G. Wissowa, W. Kroll)

QUELLENNACHWEIS

Die Schriften des Nikolaus von Kues werden, soweit erschienen, nach den zweisprachigen Ausgaben in dieser Reihe zitiert, sonst nach h oder p, mit Hinweis auf Übersetzung in H.

Apologia doctae ignorantiae, h II, ed. R. Klibansky, Leipzig 1932

Complementum theologicum, p II 2

Coniectura de ultimis diebus, h IV, ed. P. Wilpert, Hamburg 1959

Cribratio Alkorani, h VIII, ed. L. Hagemann, Hamburg 1986

De apice theoriae, h XII, edd. R. Klibansky, J. G. Senger, Hamburg 1982.

De apice theoriae – Die höchste Stufe der Betrachtung, H 19 hrsg. von H. G. Senger, Hamburg 1986

De arithmeticis complementis, p II 2

Von den Arithmetischen Ergänzungen, in: Die mathematischen Schriften, H 11 hrsg. von J. und J. E. Hofmann, Hamburg 1952

De beryllo, h XI 1, edd. J. G. Senger, C. Bormann, Hamburg ^{2}1988

De beryllo – Über den Beryll, H 2, hrsg. von K. Bormann, Hamburg ^{3}1987

De coniecturis, h III, edd. J. Koch, C. Bormann, J. G. Senger, Hamburg 1972

De coniecturis – Mutmaßungen, H 17, hrsg. von J. Koch und W. Happ, Hamburg 1971

De dato patris luminum, h IV, ed. P. Wilpert, Hamburg 1959

De deo abscondito, h IV, ed. P. Wilpert, Hamburg 1959

Vom verborgenen Gott, in: Drei Schriften vom verborgenen Gott, H 3, hrsg. von E. Bohnenstädt, Hamburg ^{3}1958

De docta ignorantia, h I, edd. E. Hoffmann, R. Klibansky, Leipzig 1932

De docta ignorantia – Die belehrte Unwissenheit

Buch I, hrsg. von P. Wilpert †, 3. Aufl. besorgt von H. G. Senger, H 15a, Hamburg 1979

Buch II, hrsg. von P. Wilpert †, 2. Aufl. besorgt von H. G. Senger, H 15b, Hamburg 1977

Buch III, hrsg. von R. Klibansky und H. G. Senger, H 15c, Hamburg 1977

De filiatione dei, h IV, ed. P. Wilpert, Hamburg 1959
  Von der Gotteskindschaft, in: Drei Schriften vom verborgenen Gott, H 3, hrsg. von E. Bohnenstädt, Hamburg ^{3}1958

De genesi, h IV, ed. P. Wilpert, Hamburg 1959

De ludo globi, p I
  Vom Globusspiel, H 13, hrsg. von G. von Bredow, Hamburg ^{2}1978

De pace fidei, h VII, edd. R. Klibansky, H. Bascour, Hamburg ^{2}1970

De possest, h XI 2, ed. R. Steiger, Hamburg 1973

De possest – Dreiergespräch über das Können – Ist, H 9, hrsg. von R. Steiger, Hamburg 1973

De quaerendo deum, h IV, ed. P. Wilpert, Hamburg 1959
  Vom Gottsuchen, in: Drei Schriften vom verborgenen Gott, H 3, hrsg. von E. Bohnenstädt, Hamburg ^{3}1958

De transmutationibus geometricis, p II 2
  Von den Geometrischen Verwandlungen, in: Die mathematischen Schriften, H 11, hrsg. von J. und J. E. Hofmann, Hamburg 1952

De venatione sapientiae, h. XII, edd. R. Klibansky, J. G. Senger, Hamburg 1982

De venatione sapientiae – Die Jagd nach der Weisheit, H 14, hrsg. von P. Wilpert, Hamburg 1964

De visione dei, p I

Directio speculantis seu de non aliud, h XIII, edd. L. Baur †, P. Wilpert, Leipzig 1944

Epistula ad abbatem et monachos Tegernseenses (ed. E. Vansteenberghe, Autour de la docte ignorance, BGPhMA XIV 2–4, Münster 1915) 14. Sept. 1453 (Nr. 5, S. 113–117)

Epistula ad Bernardum de Waging 18 Mart. 1454 (a.a.O., Nr. 16, S. 134 f.)

Epistula ad Bernardum de Waging 28 Iul. 1455 (a.a.O., Nr. 34, S. 159 f.)

Epistula ad Casparem Aindorffer 22 Sept. 1452 (a.a.O., Nr. 4, S. 111–113)

Epistula ad Casparem Aindorffer 15 Febr. 1454 (a.a.O., Nr. 9, S. 121 f.)

Epistula ad Nicolaum Albergati (ed. G. von Bredow, CT IV 3)

Idiota de mente, h V, ed. R. Steiger, Hamburg ^{2}1983

Idiota de sapientia, h V, ed. R. Steiger, Hamburg ^{2}1983

Idiota de staticis experimentis, h V, ed. L. Baur, Hamburg ^{2}1983

Sermones (Die Predigten werden gezählt nach J. Koch, Untersuchungen über Datierung, Form, Sprache und Quellen. Kritisches Verzeichnis sämtlicher Predigten, CT I 7, Heidelberg 1942, außer Sermo VIII (nach Koch S. X) und Sermo XVI (nach Koch S. VI,1), die von R. Haubst neu datiert wurden).

VIII, h XVI 2, ed. R. Haubst, Hamburg 1973
XVI, h XVI 3, edd. R. Haubst, M. Bodewig, Hamburg 1977
XXXI, p II 1
XXXIX, p II 1
LV, p II 1
LVII, p II 1
LXII, p II 1
LXIX, p II 1
LXXXIII, p II 1
XCIV, p II 1
IIC, p II 1
CXVI, p II 1
CXVIII, p II 1
CXXXIII, CT I 2/5, Vier Predigten im Geiste Eckharts, hrsg. J. Koch, Heidelberg 1937
CXLV, p II 1
CLI, p II 1
CLV, p II 1
CLXI, p II 1
CLXII, p II 1
CLXIII, p II 1
CLXVII, p II 1
CLXXII, p II 1
CLXXXI, p II 1
CLXXXIII, p II 1
CCVIII, p II 1
CCIX, p II 1
CCXII, p II 1
CCXIII, CT I 2/5, ed. J. Koch, Heidelberg 1937
CCXVII, p II 1
CCXXX, p II 1
CCXL, p II 1
CCLIII, p II 1
CCLIV, p II 1
CCLV, p II 1
CCLXV, 1, p II 1

CCLXVI, p II 1
CCLXXI, CT I 2/5, ed. J. Koch, Heidelberg 1937
CCLXXIX, p II 1
CCLXXX, p II 1
CCLXXXV, p II 1

LITERATURNACHWEIS

1. Ausgaben von Idiota de sapientia

⟨Tractatus et libri Nicolai de Cusa⟩, Straßburg 1488, vol. I, n IIII^r–o IIII^r (editio Argentoratensis)

⟨Tractatus et libri Nicolai de Cusa⟩, Cortemaggiore 1502, vol. I, o VII^v–p VIII^r (fälschlich bezeichnet als editio Mediolanensis)

Opera clarissimi patris Nicolai Cusae Cardinalis, Paris 1514, vol. I, fol. 75^r–80^v (editio Parisiensis)

Nicolai de Cusa opera, Basel 1565, S. 137–147 (editio Basileensis)

Nikolaus von Kues, Werke (Neuausgabe des Straßburger Drucks von 1488), herausgegeben von P. Wilpert, Bd. I, Berlin 1967, S. 216–234

Nicolai de Cusa opera omnia iussu et auctoritate Academiae Litterarum Heidelbergensis ad codicum fidem edita, vol. V (p. 1–80),editionem post Ludovicum Baur alteram ed. R. Steiger, Hamburgi 1983

Einen lateinischen Text enthält auch die Übersetzung von D. und W. Dupré (s.u.)

2. Deutsche Übersetzungen von Idiota de sapientia

Nikolaus von Cues, *Die Kunst der Vermutung,* Auswahl, hrsg. von H. Blumenberg. Sammlung Dieterich Bd. 128, Bremen 1957 (Auszug)

Nikolaus von Kues, *Der Laie über die Weisheit,* von E. Bohnenstädt, Schriften, Heft 1, Leipzig 1936/ Zweite, durchgesehene Auflage Leipzig 1944; Hamburg ^{5}1977, Philosophische Bibliothek Band 216

Nikolaus von Kues, *Der Laie über die Weisheit,* in: Philosophisch-theologische Schriften, hrsg. von L. Gabriel, übers. von D. und W. Dupré, Bd. III, Wien 1967, S. 419–477 (Lateinisch-deutsch)

3. Literatur zu Idiota de sapientia

E. Cassirer, *Individuum und Kosmos in der Philosophie der Renaissance,* Leipzig und Berlin 1927/ 3., unveränd. Auflage Darmstadt 1963, S. 49–62

M. de Gandillac, *Nikolaus von Cues. Studien zu einer philosophischen Weltanschauung,* Düsseldorf 1953, 2. Kap. Das Thema vom Laien, S. 45–60

G. Heinz-Mohr, *Nikolaus von Kues und der Laie in der Kirche,* in: MFCG 4, 1964, S. 296–322

K. H. Volkmann-Schluck, *Nicolaus Cusanus. Die Philosophie im Übergang vom Mittelalter zur Neuzeit,* Frankfurt a. M. ²1968, V 1 Desiderium intellectuale und ars. Das Problem der Renaissance, S. 146–158

P. Moffitt Watts, *Nicolaus Cusanus. A fifteenth-century Vision of Man,* Studies in the History of Christian Thought vol. XXX, Leiden 1982, Chapt. IV, p. 117–131

4. Ferner empfohlene Literatur

S. Axters, *Vroomheid in de Nederlanden III, De Moderne Devotie 1380–1550,* Studies in Medéeval and Reformation Thought, vol. III Leiden 1968

M. Ditsche, *Zur Herkunft und Bedeutung des Begriffs ›devotio moderna‹,* in: *Historisches Jahrbuch* LXXIX, 1960, S. 124–145

Das Werk des Nicolaus Cusanus. Eine bibliophile Einführung, hrsg. von G. Heinz-Mohr und W. P. Eckert, Köln 1963

J. Leclercq, F. Vandenbroucke, L. Bouyer, *The Spirituality of the Middle Ages, A History of Christian Spirituality,* Vol. II, London 1968

E. Meuthen, *Nikolaus von Kues 1401–1464. Skizze einer Biographie,* Münster 1964, ⁶1985

VERZEICHNIS WICHTIGER BEGRIFFE*

a quo, per quod, ad quod woher, wodurch, wohin 16,7f.
ablatio Wegnahme 32,20.21.26
absolutus (-a, -um) absolut, d. Absolute 26,8; 29,4; 30,11.13; 31,12; 32,2.6.25; 38,14.23.26; 39,2.7.8; 40,19; 41,7.10; 42,2; 43,6–14; 44,19; 46,6.23.28
actualis (-e), actualitas wirklich, Wirklichkeit 22,5; 23,4; 24,13; 46,12
actus infinitus d. unendliche Wirklichkeit 44,6
adaequatus (-a, -um), adaequatissimus (-a, -um) angemessen, d. gleichkommendste 23,10.13; 40,11.13; 44,9
additamentum Hinzufügen, Hinzufügung 3,10; 42,13
admirari, admiratio bewundern, Bewunderung, sich verwundern, Verwunderung 8,3; 17,11; 24,1; 28,4; 30,1
aenigma Rätsel 47,6
  medio aenigmatico vermittels eines Rätselbildes 47,4
aequalis (-e), aequalissimus (-a, -um) gleich, d. gleichste 23,26; 41,10; 42,20
aequalitas Gleichheit 22,19.21; 34,18; 40,2; 41,11
  essendi – Gleichheit des Seins 23,1.8
  praecisissima – d. genaueste Gleichheit 23,5
  unitatis seu entitatis – d. Gleichheit der Einheit oder der Seinsheit 22,12
aerumna Trübsal 12,20; 13,7
aeternus(-a, -um), aeternaliter ewig 12,15; 13,9.14; 14,3.4; 15,1–11; 16,1–12; 17,2; 18,10.14.20; 22,19; 26,8; 47,11
affectus d. innere Drang, Begier, Gefühl 7,7; 12,6; 16,11
  mentis – Begier des Geistes 9,4

* Die Zahlen verweisen auf die Paragraphen- und Zeilenziffern des lateinischen Textes. Von den deutschen Bedeutungen sind jeweils nur die in der Übersetzung vorkommenden angeführt. Wortfamilien wurden zusammengefaßt.

affectus (-a, -um) (affiziert) bewegt 4,17
affirmatio, affirmative Behauptung, in bejahendem Sinn 9,18; 32,15.22
ager Acker 19,17–20; 20,7.10f.
allicere anziehen, locken 10,7.21.23
altus (-a, -um), altitudo hoch, Höhe 7,15; 9,2; 28,11
altior (-ius) höher 9,5; 10,1.16; 25,23
altissimus (-a, -um) d. höchste 10,3; 24,3; 26,1
altissimum das Höchste 9,1
altissima d. höchsten Höhen 3,16; 5,5; 7,2; 8,20; 10,14
amabilis (-e), amabilitas liebenswert, Liebenswert 11,21–30
amare, amor, amorosissimus (-a, -um) lieben, Liebe, d. liebreichste 11,21–30; 12,23; 27,6.16
anima Seele 17,5.12
animus aequissimus d. höchste Gleichmut 17,18
ante magnum et parvum vor groß und klein 41,4f.
appetere, appetitio, appetibile streben nach, zu erlangen suchen, Erstreben, d. Erstrebbare 13,1; 14,6; 15,11–15
apprehendere 26,10
arcus Bogen 42,22.23
ars Kunst 23,13ff.; 34,8.11
– *divina* d. göttliche Kunst 23,17.20; 34,14
– *ipsa* d. Kunst selbst 23,15
– *omnipotentis* d. Kunst des Allmächtigen 23,14
ascendere aufsteigen 11,8.9; 38,5
assimilari, assimilatio sich angleichen, Angleichung 18,1; 25,7; 38,4
attingere berühren, erreichen 6,12.15; 7,18; 25,4; 26,12; 29,16; 31,7.18.22
inattingibile inattingibiliter – d. Unberührbare auf nicht berührende Weise berühren 7,18
infinite – unendlich berühren 18,16
attingibilis (-e) erreichbar 6,20–26; 8,9; 12,14
attractio (attrectare) Betasten 9,14
attrahere, attractio anziehen, Anziehung 16,23; 17,10
attributus (-a, -um), attributa zugeschrieben, Attribute 36,7.12
auctoritas Autorität 2,6.9; 3,12

bestia Tier 5,12
bonus (-a, -um), bonitas, optimus (-a, -um) gut, Gutheit, d. beste 20,5; 25,9; 29,15.17; 36,5; 38,9; 41,12; 46,27
brutum Tier 5,13

causa Grund 11,23; 30,15
cibus, cibatio Speise, Speisung 18,19.20

circulus Kreis 36,7; 42,3
– *infinitus* d. unendliche Kreis 23,6; 42,8 ff.
circumferentia Umfang 42,11 ff.
clamor Rufen, Ruf 3,15; 5,5; 7,1
clarus (-a, -um), clarior (-ius) hell, deutlicher 13,4; 47,9
cogitatio Denken 9,22
cognoscere, cognitio (an)erkennen, Erkenntnis 4,4; 32,18
coincidere zusammenfallen 28,13; 31,4; 32,7; 36,13; 38,27; 41,6; 44,3.14
(se) communicare (sich) mitteilen 8,2; 25,8
comparatio Vergleich 9,10
comperire in Erfahrung bringen, erfahren 12,18; 16,8; 37,4
complementum Erfüllung 15,7
complicare, complicatio, complicite einfalten, umschließen, Einfaltung, eingefalteterweise 23,12; 35,9; 39,7; 43,9; 45,8; 46,8
compositum d. Zusammengesetzte 6,18
comprehendere, comprehensio, comprehensibilis (-e), comprehensibilitas begreifen, Begreifen, Ergreifen, begreifbar, Begreifbarkeit 11,14–32; 12,6.8; 16,11; 32,3
incomprehensibiliter comprehendere unbegreifbar begreifen 12,6 f.
conceptus 28,17–22; 29,1 ff.; 34,3 ff.; 35,1 ff.
– *absolutus* d. absolute Begriff 34,8.15; 35,11
conceptionum – d. Begriff des Begreifens 34,4
per se – Begriff an sich 35,11
concipere begreifen 28,16.20; 34,5–9
conexio Verknüpfung 22,14
conformius gleichförmiger 17,3
connaturatus (-a, -um) naturgegeben 11,2
considerare, consideratio betrachten, Betrachtung 22,3; 32,19
contemplari betrachten 47,1
contractus (-a, -um) eingeschränkt 41,3; 43,8; 46,6.20.25
convenire, convenientior angemessen sein, zukommen, angemessener 32,11.20.28; 42,2
se convertere, conversus (-a, -um), conversio sich (wohin) wenden, zugewandt, Hinwendung 12,15.20; 13,10; 17,20; 24,11; 27,4
corpus, corporalis (-e), corporeus (-a, -um) Leib, körperlich 17,17.21 f.
in corpore quasi extra corpus im Leib gleichsam außerhalb des Leibes 17,8 f.
creare schaffen 22,2
cruciatus Qual 12,18; 13,8.12
currere, cursus laufen, Laufen 10,21.22

curvus (-a, -um), curvitas gekrümmt, Gekrümmtheit 42,14.16.24

deficere vergehen 17,20.24
degustare, degustatio kosten, eine Kostprobe bekommen, Vorkosten 4,20; 10,4; 13,4; 26,11.16; 27,9.12
delectari, delectatio, delectabilis (-e), delectabilior (-ius) sich ergötzen, Freude, Ergötzen, was erfreut, ergötzlich, ergötzlicher, Ergötzlichkeit 7,3; 13,6; 14,5; 16,10; 17,16; 18,18.21; 28,13; 39,6
depingere, depingibilis (-e) (ab)malen, abmalbar 39,14.17; 40,17
desiderare, desiderium, desideratissimus (-a, -um), desiderabilis (-e), desideriosus (-a, -um) begehren, verlangen nach, Verlangen, d. ersehnteste, wonach man verlangt, sehnsuchtsvoll 7,10; 9,3; 10,24; 11,14; 14,7.9; 15,1–11; 16,10.16; 17,5; 18,12
deus Gott 4,8; 21,1 ff.; 22,1 ff., 25,1; 28,15; 29,3 ff.; 30,6 ff.; 31,5 ff.; 32,1 ff.; 33,2 ff.; 34,4; 35,14; 36,8–12; 38,2.3; 47,5 f.9
– *trinus et unus* Gott, der dreifach und einer ist 22,23
divina d. göttlichen Dinge 28,12; 29,19
devotio Hingabe 47,8
diameter Durchmesser 42,4 ff.
difficilis (-e), difficillimus (-a, -um) schwierig, äußerst schwierig 3,9; 33,4; 39,5; 45,1
difficultas Schwierigkeit 28,12.13; 29,19; 30,21.22
– *theologica* d. theologische Schwierigkeit 30,16
digitus dei d. Finger Gottes 4,10
discretio Unterscheidung 5,16.17
disponere ordnen 25,5
diversitas Verschiedenheit 25,14
doctior (-ius) belehrter 4,5
dubitatio Zweifel 9,19; 31,7
dulcis (-e), dulcior (-ius), dulcedo süß, süßer, Süße 10,6.8; 11,6; 15,8; 16,8.10; 17,8.13

effectus Wirkung 10,24; 30,15
elevare erheben 43,2; 46,16
se –, elevari sich erheben 14,2; 24,3; 26,3; 44,8; 46,16
eloquium Aussprechen 9,21
esse
–, *posse –, posse sic –* sein, sein können, so sein können 22,3 f.
–, *vivere, intelligere* sein, leben, erkennen 13,1 f.
– *formale* gestalthaftes Sein 24,7 f.

– *intellectuale* geistiges Sein 13,13; 16,6
intellectualiter – geistig Sein 17,2f.
non-esse Nicht-Sein 22,6
tale – d. so beschaffene Sein 22,9.22
actualitas essendi d. Wirklichkeit des Seins 22,5
essendi aequalitas d. Gleichheit des Seins 23,1.8f.
essentia dei d. Wesen Gottes 36,11
(absoluta) entitas d. (absolute) Seinsheit 30,3; 32,25f.
unitas seu entitas d. Einheit oder d. Seinsheit 22,7f.
excitare, excitatio erregen, Erwecken 16,15; 17,6
exemplar Urbild 18,6.9–11; 23,17.22.26; 24,15.20; 25,6; 38,24.26; 39,21; 40,1.14.17; 43, 13.18; 44,5
absolutum – d. absolute Urbild 39,2.7; 40,14.17; 41, 7f.10f.
adaequatissimum – d. angemessenste Urbild 44,9f.
– *praecisissimum* d. genaueste Urbild 23,17; 24,14f.20; 44,22f.
unicum aequalissimum – d. einzige gleichkommendste Urbild 23,25f.
verum – d. wahre Urbild 23,7f.
– *verissimum* d. wahrste Urbild 25,3
exemplaris (-e) urbildlich 46,17
exemplabilis (-e) abbildbar 39,9; 41,13
exemplatum Abbild, d. Abgebildete 25,6; 40,21; 41,8
experiri, experimentaliter erfahren, d. Erfahrung machen, erfahrungsmäßig 15,11; 19,10; 36,12.17; 38,7.10
explicare ausfalten, entfalten 24,3; 25,14
exserere (aus sich) hervorbringen 18,6; 26,6
facilis (-e), faciliter, facilior (-ius) leicht, leichter 7,15; 29,19; 30,16; 33,15; 39,6; 43,1
facilitas Leichtigkeit 28,10; 32,4; 33,4; 45,1; 46,4
– *absoluta* d. absolute Leichtigkeit 31,26; 32,6f.
– *difficilium* d. Leichtigkeit des Schwierigen 47,7
infinita – d. unendliche Leichtigkeit 30,19f.
fari, fabilis (-e), fatus sagen, sagbar, Sagen 8,12f.
fastidire Widerwillen empfinden 18,18
felix, feliciter, felicius, felicitas glücklich, glücklicher, Glückseligkeit 11,8; 12,13.18; 15,3.10
ferri in Bewegung gesetzt werden, eilen, sich forttragen lassen 10,25; 16,11.16; 17,14.18.23
ferrum Eisen 16,12ff.

fervidus (-a, -um),
ferventia brennend, Glut 27,6; 47,8
figura, figuratio, figurabilis (-e) Gestalt, Figur, Darstellung, darstellbar 23,7 f.11; 25,6; 39,14.16; 43,6.16–18; 44,4.7.24
figura figurabilis d. darstellbare Figur 43,8 f.
– *infinita* d. unendliche Figur 44,3
– *simplicissima* d. einfachste Figur 23,11
filius Sohn (Gottes) 22,12.20 vgl. *verbum*
finire, finis, finibilis (-e), finitus (-a, -um) begrenzen, Grenze, begrenzbar, endlich 8,15 f.; 9,8; 12,16; 25,4; 44,19; 46,21.28 f.
fons vitae d. Quelle des Lebens 11,3
forma Gestalt 23,3; 24,1 ff.; 25,6; 44,6
– *absoluta* d. absolute Gestalt 44,19
– *formabilis* d. gestaltbare Gestalt 23,5.22 f.24 f.; 24,2; 25,2
– *omnium formabilium* d. Gestalt alles Gestaltbaren 34,12
– *formata* d. gestaltete Gestalt 23,22
idealis – d. urbildliche Gestalt 34,16
infinita – d. unendliche Gestalt 23,4
– *intellectualis* d. geistige Gestalt 23,3
prima – d. erste Gestalt 25,20
– *simplicissima* d. einfachste Gestalt 23,24
formare, formatio bilden, Gestaltung 9,11; 21,7.8
fructus Frucht 20,10.12
fruitio Genießen 47,10

gaudere, gaudiosus (-a, -um), gaudiosissimus (-a, -um) sich freuen, freudig, freudenreich, freudvoll, d. freudenreichste, d. freudigste 11,14 ff.; 14,9; 18,16; 19,18
gradus Stufe 25,22; 26,1.2
gustare schmecken, zu schmecken bekommen 8,4; 12,4.8; 14,4.8; 19,6
experimentaliter – erfahrungsmäßig schmecken 19,10 f.
ingustabiliter – unschmeckbar schmecken 10,15 f.17 f.; 12,5 f.
– *intellectualiter* mit der Vernunft schmecken 26,10
a remotis – von ferne schmecken 10,18
gustabilis (-e) zu schmekken, schmeckbar 10,15.16; 12,8; 14,4
gustus Geschmack, Schmekken 9,15; 10,10; 12,9; 14,2; 19,2 ff.; 26,3
– *internus* d. innere Schmecken 10,6; 19,9

habitudo Verhältnis 42,18.19
humilis (-e), humilitas, humiliare demütig, Demut, demütig machen 1,8.12; 4,5; 27,10

idea, idealis (-e) Idee, urbildlich 23,14; 34,13.16
identitas Selbigkeit 25,9.17
idiota Laie, ungebildeter Mann, unwissender Mensch 1,3.15; 4,1.4.7
ignorans, ignorantia unwissend, Unwissenheit 1,15; 4,7
tenebrae ignorantiae d. Dunkel der Unwissenheit 13,11
imaginatio Vorstellung 9,13
imago Bild 18,3–10; 20,8; 25,6; 26,17; 38,24; 39,12; 40,4
– *proxima* d. nächste Abbild 26,1 f.
– *viva* d. lebendige Bild 18,3.5 f.
imitari nachahmen 39,16
immissio Sichergießen 17,4
immortalis (-e), immortalior (-ius), immortalitas unsterblich, unvergänglich, unsterblicher, Unvergänglichkeit 11,12; 15,9; 16,12; 17,15; 20,10
improportionalis (-e) unverhältnismäßig 26,19
inaccessibilis (-e), inaccessibilitas unzugänglich, Unzugänglichkeit 11,7.12
inattingibilis (-e), inattingibiliter unerreichbar, unberührbar, auf nicht berührende Weise 7,18 f; 8,11
inclinatio Hinneigung 16,22
incogitabilis (-e) unausdenkbar 9,23
incognitus (-a, -um) unbekannt 15,12
incomprehensibilis (-e), incomprehensibilitas unbegreifbar, Unbegreifbarkeit 11,13.18.25.30 f.; 12,6; 32,2.7
inconceptibilis der Unbegreifbare 28,21.22
inconfusus (-a, -um), inconfuse unvermischt, unverworren 46,12; 47,3
Indus Inder 15,12
ineffabilis (-e) unaussprechlich 9,6; 32,28
inenarrabilis (-e) unsäglich 16,10
inesse innewohnen 18,2
inexpressibilis (-e) unausdrückbar 11,23
infinitas Unendlichkeit 9,2; 11,13; 24,17; 25,13; 42,2
– *simplicissima* d. einfachste Unendlichkeit 24,1 f.10
infinitus (-a, -um), infinite, infinibilis (-e) unendlich 11,10.22; 18,13.15 f.; 23,2–11.24; 25,2.8.10; 30,19–23; 31,11; 38,3; 42,8 ff.; 43,2–6,17.20; 44,1 ff.; 46,6.15.22 ff.
infinitum das Unendliche 38,6
inflammare entflammen 7,11

ingustabilis (-e), ingustabiliter nicht zu schmecken, unschmeckbar 9,15; 10,15–19; 12,5
inquirere fragen, suchen nach 11,3; 29,21
insanire unsinnig werden 17,12
inscibilis (-e) unwißbar 9,6
intellectualis (-e) vernunfthaft, geistig, erkennend 10,17; 13,13; 15,6; 16,6; 17,1.6; 26,4.5.15
intellectus Vernunft, Erkennen, Verstand, Geist, höchste Erkenntnis 2,9; 8,11; 9,7; 10,9; 11,1; 12,7.9.12; 13,1.3.9.15; 16,2; 19,16; 24,8; 26,15
  altissimus – d. höchste Erkenntnis 24,3 f.
intelligere, intelligibilis (-e) erkennen, erkennbar 8,10f; 13,2.13
interminabilis (-e) unbestimmbar 9,9; 11,29; 13,12
internus (-a, -um), interne der innere, innerlich 10,6.14; 17,7; 19,9
intueri schauen, sehen 24,5; 32,6; 35,10; 41,2; 46,3.7.23; 47,2
irradiatio Hineinstrahlen 17,4
iustus (-a, -um), iustitia gerecht, Gerechtigkeit 29,12.14; 36,5; 38,9; 41,11
laetitia Freude 1,13; 12,17; 27,16
liber Buch 1,7; 2,12; 3,3.6
  libri dei Gottes Bücher 4,8
linea
  – *infinita* d. unendliche Linie 42,9; 43,6.16.20; 44,1 ff.
  – *recta* Gerade 42,21.22
linquere verlassen 17,14 vgl. *relinquere*
litterae (Geschriebenes) Bücher 1,16; 3,8
locutio, loquela sprachliche Äußerung, Rede 9,6.21; 33,2.9
lux Licht 13,6

magnes Magnet 16,12 ff.
magnus (-a, -um)
  magnum das Große 40,24; 41,2–4
  nec maior nec minor nicht größer und nicht kleiner 24,19; 42,15 f.; 44,11 f.; 46,24
  nec maius nec minus weder mehr noch weniger 40,21; 41,9 f.; 44,15 vgl. *recipere magis et minus*
  maximitas Meistheit 41,1–4
  maximus (-a, -um) d. größte 40,23f; 41,6.7; 42,7; 44,14
meliori modo quo potest so gut als möglich 25,12 f.
mens Geist 9,4; 34,5–7; 35,10; 46,15
  absoluta – d. absolute Geist 34,9.11
mensura Maß 6,3.4.16.26; 40,3.6.12; 41,11

adaequata – d. angemessene Maß 40,11 f.
– *adaequatissima* d. gleichkommendste Maß 23,8.10; 40,6
mensurare, mensurabilis (-e), mensuratio messen, meßbar, Messen 5,9; 6,3–10.19.25
minimum das Kleinste 40,22; 41,6; 44,14
mirari, mirabilis (-e) sich wundern, wunderbar 1,6; 16,16 vgl. *admirari*
mors, mortuus (-a, -um) Tod, tot 12,20; 13,8.11
motus Bewegung 16,17; 17,5; 18,6
– *intellectualis* d. geistige Bewegung 17,6
– *spiritualis* dem Geist zugehörige Bewegung 18,15
– *vitalis* dem Leben zugehörige Bewegung 18,12 f.; 26,6
moveri sich bewegen, bewegt werden, streben nach 11,6; 12,3; 15,19; 16,5.8.21; 18,9.12
hic mundus diese Welt 17,13; 38,15; 39,18 f.; 47,5
mundus (-a, -um) rein 20,8

natura, naturalis (-e), naturaliter Natur,natürlich, von Natur aus 2,7.10; 3,1.4; 6,18; 9,3; 15,18; 16,17.20; 18,2; 24,6; 40,10
natura intellectualis d. vernunfthafte Natur 26,4
necessitare, necessitas zwingen, Notwendigkeit 22,8; 31,6
nectere verknüpfen 22,16 vgl. *conexio*
negare, negatio verneinen, Verneinung 9,18; 32,15–23
nihil nichts 17,13; 20,3
numerare, numeratio, numerabilis (-e) zählen, Zählen, zählbar 5,8.18; 6,5–8.21
numerus Zahl 5,23; 6,1.15.22; 24,11
– *numerabilis* d. zählbare Zahl 24,16
nutriri, nutrimentum sich nähren, Nahrung 15,14; 16,1

occulta das Verborgene 8,1
oculus Auge 13,5
oculi mentis die Augen des Geistes 29,17; 46,3
omnipotens, omnipotentia der Allmächtige, Allmacht 22,5.9; 23,14
opinio Meinung 9,20
oppositio Gegensatz 24,4
optatissimus (-a, -um) höchst erwünscht 11,19

pabulum Nahrung, Futter, Speise 2,10.13; 3,3; 12,21
participare, participatio an etwas teilhaben, Teilhabe 25,18; 31,11.23; 32,4; 38,23; 39,16
parvum das Kleine 40,23; 41,1–5

pasci, pascentia sich nähren, Gespeistwerden, Speisung 2,9; 13,3; 16,4.5
pater Vater (Gott) 22,7.12.18.20
per quae, in quo et ex quo; per quod, in quo et ex quo wodurch, worin und aufgrund wessen 5,14; 8,7f.10; 12,2f.
per quam, in qua et ex qua durch die, in der und aufgrund deren 9,23
perfectio, perfectissimus (-a, -um), perfectissime Vollkommenheit, d. vollkommenste, aufs vollkommenste 23,13; 41,13; 43,10.14; 46,29; 47,4
pertingere hingelangen 11,16 vgl. *attingere*
petitum Petit 6,4ff.13.16
platea Straße, Gasse 3,15; 4,15; 5,4; 7,1
plus
neque (nec) – neque (nec) minus nicht mehr und nicht weniger 22,10; 37,4f.
ponderare, ponderatio, ponderabilis (-e), ponderosus (-a, -um) wägen, abwiegen, Wägen, wägbar, gewichtig 5,9; 6,2–9.23; 16,16
pondus Gewicht 6,2.4.16.24; 17,9
positio Setzung 32,19ff.
posse
esse, – esse, – sic esse sein, sein können, so sein können 22,3f.
posterius später 6,19
praecisio Genauigkeit 25,7; 29,3; 31,18.19; 36,4; 37,16; 38,8; 39,18; 40,11.12.20; 41,11; 43,9.13.17.20; 44,19; 46,26
absoluta – d. absolute Genauigkeit 29,4; 31,23
– verissima, iustissima et optima d. wahrste, vollständigste und beste Genauigkeit 46,26f.
praecisus (-a, -um), praecisior (-ius), praecisissimus (-a, -um), praecisissime genau, genauer, d. genaueste, aufs genaueste 23,5; 24,14.20; 29,1; 31,9.13; 38,10.16; 44,22; 46,12; 47,3
praegustare, praegustatio im voraus schmecken, Vorgeschmack 10,19; 11,2; 15,10–18; 16,3; 17,7.15; 18,11
praegustatio naturalis d. natürliche Vorgeschmack 16,20
– ingustabilis d. unschmeckbare Vorgeschmack 10,19
praesupponere, praesuppositus (-a, -um), praesuppositio voraussetzen, vorausgesetzt, Voraussetzung 29,23.25; 30,3ff.; 31,14.19; 32,25.26

absoluta praesuppositio omnium d. absolute Voraussetzung von allem 30,13 f.
principium Ursprung, Prinzip 11,7; 12,2; 16,14
–, *medium et finis* Anfang, Mitte und Ende 12,4; 15,8; 18,5
– *intellectualiter essendi* d. Ursprung geistigen Seins 17,2 f.
– *numeri, ponderandi, mensurandi* Prinzip der Zahl, des Wägens, des Messens 6,1 ff.
omnium – d. Prinzip von allem 8,6.7; 21,2
primum – d. erste Ursprung 22,17 f.
– *unitrinum* d. dreieine Ursprung 22,23
principiari durch ein Prinzip begründet werden 8,8
principiabilis (-e) was durch ein Prinzip begründet werden kann 8,8
principiatum durch ein Prinzip begründet (d. Prinzipiierte) 8,9; 22,18
prius, prioriter früher, vorgängig, 6,18; 35,6.9
proficere vorankommen 1,16; 3,6
profundus (-a, -um), profunditas tief, Abgründigkeit 7,15; 35,10
proportio Verhältnis 9,9
propositio Aussage, Satz 8,17; 33,5
proprius (-a, -um) eigentlich 11,6; 26,7; 31,3.9
pulcher (-chra, -chrum), pulchritudo schön, Schönheit 14,6
purus (-a, -um), purissimus (-a, -um) rein, d. reinste 20,7; 27,12
putare glauben, meinen, halten für 1,10; 3,6; 4,1.3; 12,12.16

quaestio, quaesitio, quaesitum Frage, Fragestellung, d. Gesuchte, d. Gefragte 29,23–25; 30,3; 31,3; 32,17
quiditas Wesenheit, Washeit 26,11–16; 30,10
quiditatum – d. Wesenheit der Wesenheiten 26,17 f.
ipsa – absoluta d. absolute Washeit selbst 30,11
quies, quiescere, quietari Ruhe, ruhen, zur Ruhe kommen 12,6; 18,2.4.7.13

rapi entrückt werden 17,8
ratio Verstand, geistige Überlegung, Grund, Wesensgrund, Wesen 5,11; 35,2–7; 38,25; 40,16
– *absoluta* d. absolute Wesensgrund 35,8 f.
– *rerum* d. Wesensgrund der Dinge 23,2
rationalis (-e) verstandesmäßig, Verstandes- 10,17; 25,24
recipere
– *magis et minus* ein Mehr

und Weniger aufnehmen, 38,1f.4; 40,10f.19f.; 42,6f.25
plus – ein Mehr aufnehmen 37,16
rectitudo Richtigkeit 29,7; 36,4; 38,9; 43,9
– *absoluta* d. absolute Richtigkeit und Geradheit 42,1f.; 43,10; 46,6f.23f.
infinita – d. unendliche Richtigkeit und Geradheit 31,6; 43,3.5.6f.; 46,6f.15f.22f.
– *simplicissima* d. einfachste Geradheit und Richtigkeit 47,2f.
rectus (-a, -um) richtig 29,6; 37,7
relinquere hinter sich lassen 17,11 vgl. *linquere*
relucere widerstrahlen 10,23
remotus (-a, -um) fern 10,18
requiescere ruhen 27,17
respondere, responsio antworten, Antwort 29,24; 30,10; 31,2ff.; 32,17–30
absoluta responsio d. absolute Antwort 31,12

sanctus (-a, -um) heilig 17,5.16; 20,8
sapere, sapor, saporosissimus (-a, -um) schmecken, empfinden, weise sein, Geschmack, d. schmackhafteste 4,1; 10,7.8.14.15; 18,19
sapientia Weisheit 9,2; 10,8; 12,21; 13,3.4; 17,15; 18,18; 22,1.11; 23,1; 25,16
– *foris clamat in plateis* die Weisheit ruft draußen auf den Straßen 3,14f.; 4,14f.; 5,4f.
– *habitat in altissimis* – wohnt in den höchsten Höhen 3,16; 5,5; 7,2; 8,19f.; 10,14f.
– *aeterna* d. ewige Weisheit 12,15; 13,9f.14; 14,3.4; 15,2–11; 16,2–9; 17,2; 18,14; 19,14; 20,2ff.; 21,4; 26,8.17; 47,1
dei – Gottes Weisheit 25,1f.; 27,18
– *infinita* d. unendliche Weisheit 12,15.21; 23,11f.
summa – d. höchste Weisheit 7,17
sapiens, sapientialis (-e) weise, Weisheits- 10,10; 20,8
satiare sättigen 10,4; 18,19
scire, scientia wissen, Wissen, Wissenschaft 1,9.11; 3,9.10; 4,3.6; 9,3.5; 11,5.16; 19,11.14
secretum Geheimnis 7,8.14
sensus, sensatio, sensibilis (-e) Sinn, Empfindung, sinnlich 9,13; 10,16; 17,9; 26,13.15
separatio Abtrennung 27,3
sermo, sermocinalis (-e) Rede, an die Rede gebunden 33,2.13; 36,13.17
significare, significatio, significativus (-a, -um) be-

zeichnen, Bezeichnung, hindeutend 29,26 f.; 33,10
similitudo Ähnlichkeit, Gleichnis 7,18; 40,13
simplex, simpliciter, simplicissimus (-a, -um), simplicitas einfach, einfachhin, d. einfachste, Einfachheit 6,17; 23,10 f.15.24; 24,2.9.10; 25,1; 35,8; 42,7; 45,7
  simplicitas dei infinita d. unendliche Einfachheit Gottes 36,9
speculari, speculatio betrachten, Betrachtung 28,13; 39,4
spiritus Geist 11,7; 20,12; 22,15
  – *noster* unser Geist 12,22; 17,19.21; 18,1
  – – *intellectualis* unser erkennender Geist 17,1
  – *sanctus* d. Heilige Geist 22,15
  – *sapientiae* d. Geist der Weisheit 20,5 f.
  spiritualis (-e) dem Geist zugehörig 18,15
suavitas, suaviter Süße, in aller Süße 10,4; 12,5; 26,14–18
  omnis suavitas alle Köstlichkeit 27,8
sufficientia Zureichen 31,16.20.25; 33,4
super, supra
  super omnem oppositionem über jedem Gegensatz 24,4
  supra omnem positionem et ablationem über aller Setzung und Wegnahme 32,21.29 f.

templum Tempel 20,8
tenebrae Dunkel 13,5.11
terminus, terminare, terminabilis (-e), terminatus (-a, -um) Bestimmung, bestimmen, bestimmbar, begrenzt 8,14; 9,8; 46,20
theologia, theologicus (-a, -um) Theologie, theologisch 30,16; 31,2.14; 32,15; 36,8; 39,4
  theologia sermocinalis d. an die Rede gebundene Theologie 33,2.13
theoria Betrachtung 10,3; 28,11
thesaurus Schatz 1,13; 11,15.21; 19,17.20
tormentum Qual 17,17
transcendere übersteigen 28,9
transferre übertragen, versetzen 7,2; 47,11
  se - sich wenden 46,6
transire übergehen 30,22
triangulus Dreieck 23,9
  – *infinitus* d. unendliche Dreieck 44,10 ff.

uncia Unze 6,4 ff.9.13
unicus (-a, -um) einzig 23,25; 25,1; 31,24
unire, se unire vereinen, sich vereinigen 16,19; 17,10; 22,13
unitas Einheit 6,12.14;

22,17.20; 24,6ff.; 40,1
– *seu entitas* d. Einheit oder d. Seinsheit 22,7f.
unitrinus dreieinig 22,23
universus (-a, -um) gesamt 39,3
unum die Eins, das Eine 5,18–23; 6,1–8.15

varietas Verschiedenheit 39,2.20
verbum Wort 10,10; 21,7.9; 22,11; 23,2
dei – Gottes Wort 35,1
veritas Wahrheit 8,4; 12,23; 13,3; 18,8f.; 25,5; 29,11; 36,5; 38,9; 40,3.20; 41,12; 43,10.13; 46,29
– *absoluta* d. absolute Wahrheit 26,7f.
– *exemplaris* d. urbildliche Wahrheit 46,17
– *infinita* d. unendliche Wahrheit 46,27
verus (-a, -um), verior (-ius), verissimus (-a, -um), verissime wahr, wahrer, d. wahrste, aufs wahrste 12,15; 23,7; 24,5; 29,9; 33,15; 45,8; 46,26.27
videre sehen 13,6.7; 24,13
vis Kraft 24,5.12; 26,5; 33,3.11
visus, visibilis (-e) Sehen, sichtbar 9,16; 46,4; 47,7
visio dei Gottesschau 47,5
vita Leben 11,3–15.21; 12,17; 13,6.8.10; 14,9; 15,3.9; 16,2; 18,6–16; 25,17
haec – dieses Leben 17,14
– *infinita* d. unendliche Leben 18,13.15f.
intellectualis d. geistige Leben, vernunfthaftes Leben 15,6; 16,6f.; 26,5
– *spiritualis* d. geistige Leben 11,1
vitalis (-e) lebendig, dem Leben zugehörig 12,5; 18,13; 26,6
vivere leben 11,9; 12,22; 13,2; 15,10.14
vivus (-a -um) lebendig 13,12; 18,3; 26,5; 39,16
vocabulum Wort (Benennung) 33,3.10.14
volumen Buch 27,3

REGISTER ZU EINLEITUNG UND ANMERKUNGEN *

1. Zitierte Handschriften

Augsburg, Universitätsbibliothek
cod. Öttingen-Wallerstein II Lat. 1 (4°) 33: F15

Berlin, Deutsche Staatsbibliothek (Preußischer Kulturbesitz)
cod. theol. lat. fol. 194: F14

Bernkastel-Kues, Bibliothek des St. Nikolaus-Hospitals
cod. Cus. 21: 10,16f.
32: 10,29f.
33: 18,9f.
34: 18,9f.
38: 16,14f.
41: 12,5
43: F51. 10,16f.
44: F51. 10,16f.
45: F51. 10,16f.
51: XX
55: F56. 10,11
64: 4,12–15
68: 10,11
73: 10,11
76: 10,11
78: 4,12–15
96: F51
100: F46
cod. Cus. 101: F46
106: 13,1f.
115: XX. F46
116: F46
124: 4,12–15
157: 28,6f.
177: XIX. 4,6–8; 12,26; 14,6f.
178: 29,19
181: 13,7
182: 6,1; 13,7
183: 6,1
184: 6,1
185: 6,1
191: 10,23f.
195: 24,5f.
196: F20. 18,4

London, The British Library
cod. addit. 11 035: 12,5; 16,14f.; 32,24
18 007: F13

* Auf die Einleitung verweisen römische Seitenzahlen und Fußnotenkennziffer mit vorangestelltem »F«, auf den Anmerkungsteil Paragraphen- mit Zeilenziffer (bezogen auf die Übersetzung). Verweise auf *De sapientia* in den Anmerkungen geben die Zeilen des lateinischen Textes an, in besonderen Fällen auch die Zeilen der Übersetzung (nach einem Querstrich).

Strasbourg, Bibliothèque Nationale et Universitaire 84: F46; 52
Trier, Bibliothek des Priesterseminars 109: F15
Trier, Stadtbibliothek
cod. lat. 1918/1466: F9
1926/1470: F12
Wolfenbüttel, Herzog August Bibliothek
cod. 680 (630[b] Helmst.): F12

2. *Zitierte Bibelstellen*

AT

1. Mose
1: 21,9f.
1,10: 10,31
2. Mose
3,8: XXXI
3,15 (Vulgata 19): 4,12–15
16,13f.: XXXI
5. Mose
9,10: 4,12–15
Hiob
11,6: 7,9f.
Psalm
11,4 (Vulgata 10,5): 20,11
33 (32 Vulgata),6: 21,9f.
34 (33 Vulgata),9: XXXI. 13,5; 17,9f.(3×); 18,22–30; 27,7f.
36 (35 Vulgata),9: 17,9f.
36 (35 Vulgata),10: 11,4
46 (45 Vulgata),11: 17,9f.
98 (97Vulgata), 1f.: XIV
104 (103 Vulgata),24: 22,2
124 (123 Vulgata),7: 2,7
Sprüche
1,20: 3,19f.
14,27: 11,4
Hohes Lied
1,4 (3 Vulgata): F61. 10,29f. (3×); 10,33f.
4,7: 14,6f.
Weisheit
1,4: 20,7–9
7,27: 17,5
8,1: 25,4
8,7: 20,16f.
9,1: 21,9f.
11,21: 5,9–11; 25,10f.
Sirach
15,3f.: XIII
24,7: 3,20f.
41,1: 16,1

NT

Matthäus
5,3: XVII
5,13: 17,9f.
5,48: 3,7
11,25: XVII
13,44: 11,19–23; 19,23–28
16,24: F46
19,27: 17,17f.
22,1–14: XXXII. F66

Lukas
11,20: 4,12–15
Johannes
1,1–3: XXIX
1,1: 13,2f.; 21,12
1,3: 21,9f.
1,4f.: 13,4f.
6,31–35: XXXI
6,35: 13,2f.
6,44: 10,29f.
6,68: 13,2f.
8,12: 13,6
10,11 (Vulgata 10): 31,32f.
11,25: 15,3
14,6: 13,2f.; 15,3; 18,11f.
14,23: 17,5
14,26: 17,5
Apostelgeschichte
4,13: XI
17,28: 12,3f.
Römer
1,20: 4,12–15; 5,9–11
11,33: 11,19–23
11,36: 5,16; 10,17f.
1. Korinther
1,18–21: XVII
3,19: X. 1,10–13
8,1–3: XVII
8,1: XI. 1,10–13
11,23–25: 13,5
13,12: 47,5f.
2. Korinther
3,5: 31,28; 31,32f.
6,16: 20,11
12,2–4: 11,19–23
12,2: 17,9f. (3×)
12,4: 7,10f.
12,9: 31,28
Galater
2,20: 18,11f.
5,22f.: 20,16f.
Epheser
1,17: 4,6–8
4,13: 3,7
Philipper
3,7f.: 17,14–16
Kolosser
2,2f.: 1,15; 11,19–23
3,3: 18,11f.
1. Timotheus
6,16: 13,6
1. Johannes
1,5: 13,6
Jakobus
1,17: 13,6
Offenbarung Johannis
19,19: F66

3. *Autoren, Namen und Titel*

Albertus Magnus F51. 33,2.
Ambrosius 16,14f.
Ambrosius Traversari 10,16f.
Ameln, K. 10,29f.
Anonymus, *De spiritu et anima* F56. 10,11; 17,14–16; 19,12f.
Anonymus, *Iesu, dulcis memoria* (Hymnus) F62. 18,22–30; 19,14f.
Anonymus, *In dulci iubilo* (Cantio) 10,29f.
Anonymus, *Liber de causis* 24,5f.

Anselm von Canterbury 28,18f.; 29,27f.
Apel, K. O. 33,4
Aristoteles 5,20f.; 6,1; 6,21f.; 6,23–25; 9,3f.; 13,1f.; 13,7; 15,13f.; 16,1; 18,9f.; 23,3f.; 24,6; 24,9f.; 25,23–32; 26,15; 28,4f.; 30,7–13; 33,4
Arndt, Johann 47,12
Arnulf von Löwen F46
Assunto, R. 13,6
Augustin XVI; XXXV. F30; 59; 67. 4,12–15; 5,9–11; 5,16; 5,23–25; 10,11; 10,17f.; 10,29f.; 11,2f.; 11,6f.; 12,26; 13,5; 13,12; 13,13; 15,1–9; 15,13f.; 16,28; 17,9f.; 18,9f.; 18,11f.; 18,29; 20,6f.; 22,8ff.; 22,30; 23,16f. 26,1f.; 29,19; 32,20–22; 47,12
Augustin, ein zweiter XXIV
Ave verum corpus (Innozenz IV) F65
Avicenna 26,15
Bach, Johann Sebastian XXXIII. F33; 42; 46; 66. 7,20; 10,29f.; 17,4–6
Bacon, Francis 4,23
Bandmann, G. 13,6
Banz, R. 7,10f.; 10,29f.; 16,10; 17,4–6; 17,4f.; 17,9f.; 17,9f.; 17,17f.; 17,20; 20,10; 27,8
Beierwaltes, W. XXX. F58; 67. 5,9–11; 9,7f.; 10,16f.; 10,29f.; 12,5; 13,6; 13,6; 13,6; 14,6f.; 14,6f.; 17,19; 19,14f.; 22,17; 24,3; 25,4f.; 25,8f.; 25,16–19
Bernhard von Clairvaux XX; XXXV. F41; 46. 10,29f.; 13,5; 18,22–30
Bernhart, J. F71; 73
Bihlmeyer, K. F40. 17,22–24
Biondio, Flavio 28,6f.
Blumenberg, H. XIX.XXVIII. F20; 35; 36. 4,12–15
Boethius 6,1; 10,23f.; 15,13f.; 23,4f.; 24,3f.; 28,14f.; 41,11f.
Bonaventura F46; 52; 57. 4,12–15; 7,10f.; 7,20; 10,11; 10,29f.; 10,31; 12,7f.; 13,5; 15,11f.; 17,9f.; 19,12f.; 19,14f.; 24,3f.; 32,24
Bormann, K. 25,15
Bredow, G. von 25,15
Brinkmann, H. 5,9–11; 33,4
Brockes, Barthold Heinrich 4,12–15; 13,6
Brüder vom gemeinsamen Leben XIV
Bruyne, E. de 5,9–11
Büttner, F. O. F46. 10,29f.
Cassiodor F31
Chalcidius 39,23f.
Chatillon, J. F59; 63
Clarembald von Arras 31,8
Colomer, E. 36,8–11
Crombie, A. C. F24
Curieuses und Reales ... Lexicon 3,13–15
Curtius, E. R. 4,12–15
Dante Alighieri 10,29f.
Denifle, H. S. F43
Deusche Mystik XVII
Deutsches Fremdwörterbuch F27
Devotio moderna XII; XVI; XXXV; F19; 33
Dionysius Areopagita (Pseudo-)

XXVI. 7,10f.; 9,25; 10,16f.; 13,6; 14,6f.; 17,14–16; 17,17f.; 32,24
Dionysius Cartusianus XXIII; XXIV
Dionysius, ein zweiter XXIV
Dodds, E. R. 32,18f.
Dominicus Gundissalinus 26,15
Eberhard Woltmann IX
Eckhart, Meister 10,16f.; 10,33f.; 12,7f.; 14,1; 16,1; 18,13f.; 20,5; 20,11
Engelhardt, P. 9,3f.
Eusebius von Caesarea 12,5
Franck, Salomo F66
Franckforter, Der 10,29f.; 20,5; 20,9f.; 27,10f.
Franz von Assisi XII
Geert Groote XIV. F50
Glossa ordinaria 20,16f.
Gottesfreund aus dem Oberland F43
Gottlieb, Th. F74
Gregor der Große XVI; F27. 13,7; 18,22–30
Gregor von Nyssa F59
Gregorsmesse 13,5
Grundmann, H. XI; XVIII. F23; 25; 26; 27; 29; 31; 32
Günther, Johann Christian 4,12–15
Haas, A. M. F58; 60; 71. 10,11; 13,6; 19,14f.
Haubst, R. 12,5; 22,30
Heermann, Johann 18,22–30
Heimeric van den Velde (von Kempen) 13,1f.
Heinrich Seuse s. Seuse, Heinrich
Heinrich Toke IX
Henke, N. 10,27f.
Hildegard von Bingen F32
Hugo, Hermann 10,29f.
Hugo von Balma F57
Hugo von St. Viktor XXIV. 4,12–15
Innozenz III XII
Innozenz IV F65
Iserloh, E. F19
Isidor von Sevilla (Isidorus (Hispalensis) 5,14f.; 5,20f.; 10,11
Ivánka, E. von F57; 75. 24,3f.
Jantzen, H. 13,6
Jacobus Volradi XXXV
Johannes, Apostel XI
Johannes Busch IX; F11
Johannes Gerson XXVI. 7,20; 10,29f.; 15,11f.; 17,4f.; 19,12f.; 24,3f.; 33,2
Johannes von Salisbury 32,20–22
Johannes Scottus Eriugena 6,1; 9,6–22; 12,5; 13,6; 14,6f.; 16,14f.; 22,22f.; 23,2f.; 32,16; 32,18f.; 32,24; 32,37
Johannes Tauler siehe Tauler, Johannes
Katharer XI
Kierkegaard, Sören F55
Koch, J. F7. 13,6
Kremer, K. 10,16f.
Kreuztragende Minne 7,20
Krings, H. 5,9–11
Lausberg, H. F62. 18,22–30
Lehmann, P. F75
Ludolf von Sachsen F46
Luppius, Andreas 19,23–28
Luther, Martin XXXVI. 10,29f.

Mannich, Johann F27. 7,20
Marrow, J. H. F28
Matthias Corvinus, König von Ungarn XIII
Mechthild von Magdeburg F32
Meuthen, E. F7. 7,20
Michel, O. 5,16
Mozart, Wolfgang Amadeus F65
Moller, Martin F26
Müller, Heinrich 4,6–8; 10,29f.; 14,4–10; 15,13; 16,1; 16,14f.
Nikolaus V VII
Origenes F59
Petrus, Apostel XI
Petrus von Candia 29,19
Platon XIX; XX. 2,8–11; 4,6–8; 5,9–11; 5,23–25; 10,23f.; 12,5; 12,26; 13,6; 14,6f.; 16,14f.; 23,15–32; 28,14f.; 29,19; 30,14–17; 39,23f.
Plotin 10,16f; 13,7; 17,19; 25,8f.
Proklos 6,1
Quint, J. F43; 71; 73. 20,10
Raymund von Sabunde F20. 18,4; 25,15
Rhabanus Maurus 20,16f.
Richard von St. Viktor 1,10–13; 16,10; 17,9f.
Robert Grosseteste 10,16f.
Ruusbroec, Jan van XXIII; XXV. F61. 10,11; 11,29–31; 12,7f.; 17,4f.; 17,9f.; 17,14–16; 17,17f.; 17,18; 18,22–30; 24,3f.; 27,8
Schiller, G. 13,5
Schnarr, H. 31,8
Schwenter, Daniel 7,20
Scriver, Christian 13,5
Senger, H. G. F8
Seuse, Heinrich XX. F38; 39; 46; 61. 10,29f. 29f.; 14,4–10; 14,11; 17,9f.; 17,14–16; 17,17f.; 17,18; 18,22–30; 19,14f.; 19,15–18; 20,6f.; 27,8; 32,24; 33,2; 47,12
Sigmund, Herzog von Österreich VII
Simson, O. von 13,6
Steiger, L. F69
Steiger, R. F69. 10,31
Suger von Saint Denis 13,6
Tauler, Johannes XXI. F43. 17,9f.; 17,19; 26,14f.; 46,1–3
Theologia deutsch s. *Franckforter, Der*
Thesaurus Linguae Latinae F26
Thierry von Chartres 5,20f.; 5,23–25; 22,8ff.; 22,9; 22,17; 22,27f.; 31,8
Thomas Gallus (Thomas von Vercelli) F57. 10,16f.; 24,3f.
Thomas Hemerken von Kempen F19; 50. 1; 2,2; 2,12f.; 3,7 ; 4,6–8; 4,23; 7,9f. 10,10–15; 10,29f. 29f. 29f.; 12,7f.; 17,14–16; 17,17f.; 19,15–18; 19,23–28; 20,6f.; 27,8; 27,9
Thomas Hirschhorn (Cornucervinus) F76
Thomas von Aquin 10,11; 13,1f.; 15,11f.; 24,5f.; 28,14f.; 29,1ff.
Ulbert-Schede, U. 7,20
Wackernagel, W. F42; 43
Waldenser XI

Watts, P. Moffitt F37
Weyrauch, E. F33
Windesheimer Kongregation IX; XII. F13

4. *Sachregister**

Abstraktion 10,16f.;
vgl. theologia negativa
abzug, übernatürlicher 17,19
affectus, Affekt XXVII; XXXIV. 4,23f.; 10,29f.; 12,7; 18,9f.
vgl. Mystik, affektische; desiderium
alienatio mentis 17,9f.
altitudo XXIII; XXV
amplecti 19,12f.
amplexus amorosus XXVII
vgl. Bräutigam, Brautmystik
apex mentis 24,3
supremus apex 15,11f.
Arkandisziplin 7,10f.
attractio 11,7f.; 16,14f.; 16,28
Attraktion, Anziehung 10,29f.; Attraktivität (Gottes) 14,6f.
vgl. magnes
Auge 24,9f.
Berührtwerden 17,9f.; Berührung XXV. 4,6–8
vgl. Sinne, geistliche; interne tactus (n. 17,7)
Bild XVIf.
vgl. icona
Bräutigam XIX. 7,20
vgl. Brautmystik; sponsus
Buch der Natur F20; 30. 4,12–15
caecitas ignorantiae 13,7
caritas 2,2
cognitio experimentalis s. unter experientia
contemplatio 17,9f.; 19,12f.
creatio 25,4
curiosa inquisitio 4,23; 4,23f.
vgl. secreta aperire
currere in odorem unguentorum 10,29f.; 19,12f.
vgl. Hld. 1,3 (Register der Bibelstellen)
desiderium 18,9f.
desiderium naturale 9,3–4
desiderium sapientiae 11,7f.
Dialog XIX–XXIX; XXXII
difficultas XXIII; XXIV
vgl. facilitas
docta ignorantia 17,9f.
dulcedo 13,5; 15,12f.
dulcedo – amaritudo 16,1
dulcedo – desiderium 16,10
dulcis XXXI
vgl. suavitas; Süssigkeit
Erfahrung
geistliche XXII
metasprachliche XXX
mystische XXV

* Die Querverweise beziehen sich auf dieses Register, in einzelnen Fällen auch auf das Verzeichnis wichtiger Begriffe.

Eucharistie XXXI
eucharistisch 13,5
excellentia 32,24
excessus contemplationis 17,9f.
excitatio 31,28
experientia XXIV
cognitio experimentalis XXV; XXVII; XXX. 15,11f.; 19,12f.
experimentalis contactus 15,12f.
experimentalis notitia 10,11
Experiment XV
extasis 19,12f.
exultatio 7,20; 17,9f.; 19,12f.
facilitas F55. 7,20; 47,8f.
vgl. difficultas
fames mystica 18,22–30
fastidium 18,22–30
ferri 17,19
forsmag 17,20
Geist, heiliger XXI; XXV; XXVIII. 4,6–8
vgl. spiritus sanctus
Gelâzenheit 17,17f.
gustare 15,12f.; 19,12f.
gustus 12,7; 13,5
vgl. praegustatio, sapere, schmecken
Handwerker XIVf.
humilis, humilitas X; XII. 1
icona XVII; vgl. Bild
Identität 25,4; 25,10f.; 25,12f.
idiota X–XVIII; XIXf.; XXIII–XXIX; vgl. Laye
illitteratus XI; XVI–XVIII; XXIV
Illitteraten-Literatur XVIII
inblik 17,4f.
inebriare 17,9f.
ineffabilis 9,7
insanire 17,14–16
inschinen 17,4f.
intellectus altissimus 24,3
învluz 17,4f.
irradiatio 17,4f.
jubilatio, jubilus 7,20; 19,12f.
Kreisbewegung 7,20; 14,6f.
Kreuzesnachfolge F46
laetitia vitae 1,15; 12,19f.
Laye XXI
einfältiger 4,6–8; der schlechte (= schlichte) 46,1–3
vgl. idiota
liber duplex 4,12–15
Licht XXI
Lichtcharakter des Seienden, Lichtmetaphorik 13,6
licht 17,4f.
linquere 17,17f.
litteratus XVf.
Löffelschnitzer XIVf.
memoria – intelligentia – voluntas 13,5
mensura – numerus – pondus 5,9–11
in momento XXIX
fulgor momentaneus 17,9f.
motus vitalis 26,5–8
Mystik XX. 15,11f.
affektische XXI; XXXV
affektive 13,5
Brautmystik XXI. 13,5
Passionsmystik 13,5
Sprache der Mystik XXX–XXXIII. 7,20; 13,5

mystisch XXV; XXXIII; XXXIV–XXXVI. 10,29 f.; 13,5; 17,4 f.; 17,9 f.; 17,17 f.; 17,19; 19,14; 24,3; 25,8 f.
mystische Theologie XXXV
vgl. Erfahrung, mystische; fames mystica, theologia mystica
Mystiker 17,9 f.; 39,13
Nachfolge F 46. 10,29 f.
Nachfolgefrömmigkeit XXII. F 46. 7,20
oculus
– animae 17,5
– interior 29,19
– mentis 24,3; 26,15; 29,19
vgl. Auge
ita omnia, quod nihil omnium 10,16 f.
ordo 5,9–11
pandere 7,20
pasci 26,15
Passion
Passieboeken XVII
oratorische Passion F 46
Passionsbetrachtung, Passionsmeditation XVII
Passionsmystik F 46
Passsionspredigt, lutherische F 46
pauper, paupertas X; XI; XII; XXIII. 1
praegustatio XXVIII; XXXI; XXXII. 10,33 f.; 11,2 f.; 17,20
vgl. experimentalis cognitio, gustus
Präsenzerfahrung (mystische) XXIX; XXXI. 17,9 f.
profunditas, profunda XXIV
pulchritudo 14,6 f.
quiditas 26,15
rapi, raptus 17,9 f.; 19,12 f.
das zů runen (Raunen) Gottes 7,10 f.
sapere internum, sapor XXX. 10,11; 18,22–30
sapida notitia 15,11 f.
sapida scientia 10,11
vgl. schmecken
schmecken XXII; XXVII; F 69. 10,11
vgl. gustus
secreta aperire 7,20
vgl. Arkandisziplin
Sinne, geistliche XXX f.
speculatio 28,14 f.
spiritus sanctus XXIV
spiritus vivificans 26,5–8
vgl. Geist, heiliger
sponsus 19,12 f.
vgl. Bräutigam
Sprache der Mystik XXX–XXXIII
vgl. Mystik
suavitas 17,9 f.
vgl. dulcedo, schmecken
superessentiale 32,37
vgl. theologia negativa
Süssigkeit XXI
sů̊zzekeit 10,29 f.
Tanz, intelligibler 10,29 f.
theologia
theologia circularis 36,8–11
theologia mystica XXVI. 7,20; 15,11 f.
theologia negativa 10,16 f.
theologia sermocinalis XXIX. 33,2

theoria 28,14 f.
das toge (geheime) wort 7,10 f.
trahi 11,7 f.
Trahe me post te 10,29 f.
se unire, uniri XXV. 47,7 f.
Unmittelbarkeit XII; XIV; XXV; XXVIII
unsagbar 17,9 f.
Unsagbarkeitstopos XXX
»Sprachlosigkeit« mystischer Erfahrung 19,14
vgl. ineffabilis, Mystik
visio beatifica 7,20
vliezen 17,4–6
vgl. învluz
vulgare (idioma), volgare, Volkssprache XVIII; XIX; XXIII; XXIV
volumen XXIII
vgl. Buch der Natur
daz obreste wipfellîn (des Geistes) 24,3
vgl. apex mentis